UM CAFÉ COM SÊNECA

DAVID FIDELER

UM CAFÉ COM SÊNECA

UM GUIA ESTOICO PARA A ARTE DE VIVER

Título original: *Breakfast with Seneca: A Stoic Guide to the Art of Living*

coordenação editorial: Juliana Souza

produção editorial: Ana Sarah Maciel

tradução: Heci Regina Candiani

preparo de originais: Raquel Zampil

revisão técnica: Aldo Dinucci

revisão: Midori Hatai e Priscila Cerqueira

imagens de miolo: Ken Welsh/ Alamy/ Fotoarena (escultura de bronze de Sêneca, em Córdoba, Espanha, p. 2) | Getty Open Program Content (cortesia, ilustração da Roda da Fortuna, p. 110)

diagramação: Valéria Teixeira

capa: Estúdio Insólito

imagem de capa: Serazetdinov/ Shutterstock

impressão e acabamento: Bartira Gráfica

CIP-BRASIL. CATALOGAÇÃO NA PUBLICAÇÃO
SINDICATO NACIONAL DOS EDITORES DE LIVROS, RJ

F471u
Fideler, David
Um café com Sêneca/ David Fideler ; tradução Heci Regina Candiani. - 1. ed. - Rio de Janeiro : Sextante, 2022.
240 p. ; 23 cm.

Tradução de: Breakfast with Seneca: a stoic guide to the art of living
ISBN 978-65-5564-361-9

1. Estoicos. 2. Filosofia estoica. I. Candiani, Heci Regina. II. Título

22-76655 CDD: 188
CDU: 1(38)

Gabriela Faray Ferreira Lopes - Bibliotecária - CRB-7/6643

Rua Voluntários da Pátria, 45 – 14.º andar – Botafogo
22270-000 – Rio de Janeiro – RJ
Tel.: (21) 2538-4100
E-mail: atendimento@sextante.com.br
www.sextante.com.br

Para meu filho Benjamin –

um pouco de sabedoria para ajudá-lo a crescer.

“Trabalho para as gerações futuras registrando algumas ideias que podem beneficiá-las.”

– Sêneca, *Cartas* 8.2

SUMÁRIO

PREFÁCIO

MINHA RELAÇÃO COM SÊNECA E SEUS ESCRITOS MUDOU NUM MOMENTO de crise.

Eu estava no escritório quando recebi um e-mail de uma amiga querida e o abri com curiosidade, esperando encontrar algo agradável. Mas o texto dela me abalou profundamente. Apenas alguns minutos antes ela escrevera: "Acabo de tomar metade de um frasco de tranquilizantes. Lamento pela dor que causei na sua vida."

A mensagem era apenas isso.

Congelei, incrédulo, e li mais duas vezes só para ter certeza de que era aquilo mesmo.

Em seguida, dominado por uma tristeza indescritível, entrei imediatamente no carro, fui até a casa dela e a levei para o pronto-socorro. Ela ficou uns dias no hospital e então foi transferida para uma instituição psiquiátrica. Lá, implorou para que eu a ajudasse a sair. Esse foi o início de seu suplício, e eu era a única pessoa por perto que podia ajudá-la.

Também foi um suplício para mim, é claro. Já tínhamos até sido apaixonados um pelo outro, e a sensação era a de que eu havia perdido o chão. A vida dela podia ter acabado ali. Felizmente não acabou, mas o desespero e as emoções à flor da pele eram avassaladores. Parecia que minha própria vida estava acabando também – não física, mas emocionalmente.

Por sorte, um bom amigo costumava me visitar uma vez por semana. Fiz terapia por um tempo. Mas o que mais me ajudou foi começar a ler todos os dias textos e cartas de Lúcio Aneu Sêneca (*c.* 4 a.C.-65 d.C.) para tentar recuperar meu equilíbrio mental e emocional. Embora eu já me interessasse por Sêneca antes de isso tudo acontecer, depois da crise as palavras dele se tornaram uma espécie de remédio para mim.

Talvez não por coincidência, alguns dos textos mais famosos de Sêneca são longas mensagens de consolação escritas a amigos, e nelas lê-se como eles poderiam superar suas experiências de dor e sofrimento. Ao que parece, funcionou. Com o tempo, a voz sábia e sóbria de Sêneca me ajudou a recuperar a sensação de normalidade, além de me colocar em contato com um pensador que tinha uma visão muito mais profunda e satisfatória da vida humana do que aquela que a sociedade atual nos encoraja a cultivar. Descobri um mentor sábio e um companheiro que oferece um fluxo constante de conselhos confiáveis e práticos sobre a condição humana, a psicologia e sobre como viver uma vida feliz e próspera.

O que também inferi dos textos de Sêneca foi que nada de significativo mudou na natureza humana nos últimos 2 mil anos, o que torna contemporâneo tudo o que ele tinha a dizer. Vaidade, ganância, ambição, busca pelo luxo e consumismo desenfreado – aspectos da elite decadente da sociedade romana que Sêneca descreveu em detalhes – ainda estão muito presentes entre nós.

Para além da observação de tais aspectos negativos do comportamento humano, Sêneca ensina a seus leitores como superar a preocupação e a ansiedade, como ter uma vida boa em qualquer condição, como viver com propósito e cultivar a busca pela perfeição, como contribuir para a sociedade e como superar a tristeza e todo tipo de obstáculo que poderão (e certamente vão) cruzar nosso caminho.

Depois da primeira leitura, voltei várias vezes aos escritos do filósofo. Há sempre algo a relembrar ou sobre o que refletir com mais profundidade. Além disso, a obra de Sêneca tem um dos melhores estilos de escrita de todos os tempos, com seus pensamentos condensados em frases incisivas e sucintas, como: "Nossa falta de confiança não é resultado da dificuldade; a dificuldade é que deriva da falta de confiança."[1] Ralph Waldo Emerson também apreciava ler Sêneca, e até imitava seu estilo.

COMECEI A LER SÊNECA ao acordar, enquanto tomava o café da manhã.

Depois, há uma década, me mudei para outro país, para a bela cidade de Sarajevo, no leste europeu, onde moro com minha esposa e meu filho. Obviamente, trouxe Sêneca para a aventura e, uma vez estabelecido aqui, desenvolvi um novo hábito. Depois de trabalhar de manhã, eu saía para caminhar pela colina na hora do almoço e lia Sêneca perto de alguma inscrição romana antiga em um museu local.

Agora, quando possível, nas minhas manhãs ideais, saio de casa, deixo meu filho na escola e vou à academia. Depois, compro um café com leite e me acomodo a uma mesa do Hotel Central, um suntuoso edifício da época do Império Austro-Húngaro. Pego meu e-book com as *Cartas a Lucílio* (ou apenas *Cartas*) completas, peço uma omelete e tomo o café da manhã com Sêneca – daí o título deste livro. Esse é meu ritual matinal favorito. Ninguém faz ideia do que estou lendo, muito menos de que quase sempre é o mesmo autor, e geralmente leio uma ou duas cartas antes de voltar para casa.

SÊNECA ENFATIZAVA QUE A filosofia e a amizade devem andar juntas. Segundo ele, "a primeira promessa da verdadeira filosofia é um sentimento de companheirismo, simpatia e comunhão com outras pessoas".[2] Como as principais obras de Sêneca são cartas e ensaios para amigos romanos, escritos em um estilo pessoal e em tom de conversa, o espírito da amizade permeia seus textos.

Sêneca acreditava que a verdadeira filosofia é um esforço conjunto: não se trata de algo que se faz por conta própria, mas de uma jornada que empreendemos com outras pessoas. Foi por isso que ele escreveu as *Cartas*. No entanto, essa ideia remonta pelo menos até Sócrates, que acreditava que a filosofia e o diálogo são uma jornada compartilhada, uma colaboração entre amigos.

Naturalmente, não estou me referindo ao que a filosofia se tornou; no mundo acadêmico atual, é algo muito diferente. A filosofia na Antiguidade era estreitamente associada à amizade (veja o Capítulo 1, "A arte perdida da amizade"). Seria ótimo se essa conexão fosse restaurada nos dias de hoje.

Em algumas cartas, Sêneca compartilha detalhes de sua vida pessoal, por isso é fácil para os leitores modernos experimentarem um sentimento de amizade por ele. Embora as cartas em si, que foram escritas durante seus últimos dois ou três anos de vida, sejam dedicadas à filosofia prática e ao que significa levar uma vida boa, Sêneca confidenciou a seu amigo Lucílio sobre como é envelhecer, deu pormenores de suas viagens, contou sobre alguns aborrecimentos e sobre a crise de asma que quase o matou, além de comentar o comportamento desvairado da sociedade romana. (Sêneca viveu entre as pessoas mais ricas e poderosas de Roma e era um dos principais conselheiros do imperador Nero, razão pela qual testemunhou todo tipo de comportamento nefasto, inclusive assassinatos políticos.)

APESAR DO GRANDE INTERESSE pelo estoicismo hoje, ninguém nunca explicou os ensinamentos de Sêneca para o leitor comum – ainda que o filósofo seja conhecido como "o mais envolvente e elegante dos autores estoicos".[3] Espero que este livro preencha esse vazio e ofereça uma visão panorâmica de seu pensamento. (Sêneca é muito consistente em seu modo de pensar, mas suas ideias sobre tópicos específicos estão dispersas ao longo de centenas de páginas.)

Este livro talvez satisfaça a curiosidade de algumas pessoas sobre a filosofia de Sêneca. Mas, para quem desejar prosseguir com a leitura de textos do autor ou criar seu próprio café com Sêneca, espero que este guia seja um companheiro útil nessa jornada.

DAVID FIDELER

INTRODUÇÃO

Uma vida que verdadeiramente vale a pena ser vivida

SÊNECA (*C.* 4 A.C.-65 D.C.) FOI UM DOS MAIORES E MAIS CULTOS ESCRITORES de sua época. Na condição de descontente conselheiro do malfadado regime do imperador Nero, em Roma, ele também se tornou um dos homens mais ricos do mundo. Mas é a filosofia estoica, assunto ao qual ele se dedicava, que vem despertando um novo interesse pela obra de Sêneca nos últimos anos.

Embora a escola estoica tenha começado em Atenas cerca de 300 anos antes do nascimento de Sêneca, os escritos dos estoicos gregos estão, em grande parte, perdidos. Eles sobrevivem apenas em breves citações ou fragmentos. Isso faz de Sêneca o primeiro autor estoico importante cujos escritos chegaram a nós em sua forma quase completa. Ele tinha uma das mentes mais bem-informadas e curiosas de seu tempo, demonstrando em seus textos uma ousada liberdade intelectual e abertura a novas ideias. É esta última característica que o faz parecer tão atual.

Este livro apresenta novas traduções de sua obra e expõe as ideias-chave e os sábios ensinamentos de Sêneca. Também é uma introdução à filosofia estoica em geral, uma vez que é impossível compreender plenamente o pensamento de Sêneca sem entender as ideias estoicas em que ele se baseou. Para esclarecer tais ideias, cito dois estoicos romanos posteriores: Epicteto (*c.* 50-135 d.C.) e Marco Aurélio (121-180 d.C.).

FILOSOFIA COMO "ARTE DE VIVER":
O ESTOICISMO E SEU PERMANENTE FASCÍNIO

"A mente prefere divertir-se a curar-se, tornando a filosofia uma diversão quando, na verdade, é uma cura."

Sêneca, *Cartas* 117.33

Antes de começarmos a explorar o estoicismo, devemos desfazer um equívoco muito comum. O estoicismo não tem nada a ver com "manter-se impassível" ou "reprimir emoções", algo reconhecidamente prejudicial à saúde. Embora Sêneca fosse um filósofo estoico, é fundamental reconhecer que o significado de *estoico* mudou radicalmente ao longo dos séculos. Hoje, a palavra remete à "repressão das emoções", mas os antigos estoicos nunca defenderam isso. Os filósofos estoicos não tinham problemas com os sentimentos saudáveis, como amor e afeição. Epicteto, por exemplo, não julgava necessário ser "insensível como uma estátua". A fim de ajudar a evitar emoções extremas, violentas e negativas – como ira, medo e ansiedade – que pudessem suplantar a personalidade do indivíduo, eles desenvolveram uma "terapia das paixões", que, em vez de reprimir essas emoções, as transformaria por meio da compreensão.

Algumas ideias estoicas importantes remontam ao filósofo grego Sócrates (*c.* 470-399 a.C.), para quem "a vida não examinada não vale a pena ser vivida". Em outras palavras: "Conhece-te a ti mesmo." O autoconhecimento é essencial para uma vida feliz. Sócrates também sugeriu que, da mesma maneira que a ginástica é concebida para manter a saúde do corpo, devia haver algum tipo de arte para cuidar da saúde da alma. Embora Sócrates nunca tenha dado um nome a essa "arte", a dedução óbvia é que o papel da *filosofia* – e, por conseguinte, do filósofo – seria "cuidar da alma".[1]

Essas duas ideias – autoconhecimento para ser feliz e para viver uma vida boa, e filosofia como uma espécie de terapia para a alma – foram os alicerces do estoicismo. Como escola, o estoicismo teve início em Atenas por volta de 300 a.C., quando o filósofo Zenão de Cítio (*c.* 334-*c.* 262 a.C.) fez um discurso no Stoa Poikilē, ou "pórtico pintado", de onde vem o nome da escola.[2]

Como outros filósofos da época, os estoicos tinham bastante interesse na seguinte questão: *o que é preciso para viver a melhor vida possível?* Eles acreditavam que, se os seres humanos conseguissem responder a essa pergunta, poderiam prosperar e viver uma vida tranquila e feliz, mesmo que o mundo parecesse insano e fora de controle. Esse conceito fazia do estoicismo uma filosofia extremamente prática, o que explica sua revitalização, pois a época em que vivemos também parece insana e fora de controle, seja social, política, econômica ou ecologicamente.

Ainda que o mundo pareça fora de controle, os estoicos ensinam que é possível viver uma vida produtiva, feliz e com significado. Além disso, mesmo em situações adversas, a vida ainda pode ser tranquila e serena. A ênfase no projeto de viver uma vida tranquila e com significado tornou o estoicismo romano muito popular como escola filosófica na época de Sêneca, Epicteto e Marco Aurélio, o que também acontece hoje, numa época não menos tensa.

Essa ênfase no "viver bem" também separa o estoicismo da filosofia acadêmica contemporânea, que deixou de lado as preocupações humanas práticas em prol de temas teóricos abstratos, a maioria dos quais insignificantes fora da torre de marfim dos filósofos. Como o filósofo antigo Epicuro (340-270 a.C.) destacou:

> Vazio é o argumento daquele filósofo segundo o qual nenhum sofrimento humano é tratado terapeuticamente. Pois, assim como não há utilidade na arte médica que não expulsa as doenças do corpo, não há utilidade na filosofia, a menos que ela expulse o sofrimento da alma.[3]

Da mesma forma, os estoicos viam na filosofia uma forma de curar as "doenças da alma", algo semelhante a uma "arte médica", e até chamavam os filósofos de "médicos da alma". Os estoicos também denominavam a filosofia de "a arte de viver", e Sêneca descreveu os próprios ensinamentos como "remédios". Ele acreditava que eles eram úteis ao tratamento das próprias mazelas e queria compartilhá-los com outras pessoas, inclusive com as gerações futuras.[4]

Como é de se esperar, os filósofos estoicos romanos tinham ideias diferentes sobre muitos assuntos, mas concordavam em vários pontos. É isso que os tornava propriamente estoicos. Os fundamentos dessa escola filosófica também estão presentes nas obras de Sêneca, e a maioria remonta aos primeiros estoicos gregos.

Vamos explorá-las mais profundamente nos próximos capítulos, mas vale a pena mencionar aqui as oito principais, como uma prévia do que está por vir. (Se você preferir avaliar esses pontos depois, sinta-se à vontade para pular para a próxima seção desta introdução.)

1

"Viva de acordo com a natureza" para encontrar a felicidade.

Como muitos pensadores que vieram antes e depois, os estoicos acreditavam que existe racionalidade na natureza. Podemos observar evidências disso nos padrões, nos processos e nas leis naturais, que permitem que as formas da natureza operem de maneira excelente. Como os seres humanos são parte da natureza, temos a capacidade de ser racionais e virtuosos. De acordo com Zenão de Cítio, o fundador do estoicismo, se "vivermos de acordo com a natureza", nossas vidas "fluirão harmoniosamente". (É difícil imaginar uma vida feliz se você está em constante luta contra a natureza.) Embora viver de acordo com a natureza tivesse múltiplos significados para os estoicos, um dos centrais e mais importantes era o de que devemos nos esforçar para desenvolver a racionalidade e a excelência.

2

A virtude, ou excelência do caráter interior, é o único bem verdadeiro.

Embora essa ideia tenha várias dimensões, neste momento mencionaremos apenas uma: se você não possuir esse tipo de bondade interior, não será capaz de usar mais nada de forma benéfica, nem para você nem para os outros.

Por exemplo, os estoicos não viam o dinheiro como uma coisa boa em si, já que ele pode ser bem ou mal empregado. Se você tem as virtudes da sabedoria e da moderação, é provável que use o dinheiro de uma boa maneira. Mas, se alguém a quem faltem sabedoria e moderação acabar desperdiçando milhares de dólares em um fim de semana com drogas ou outros vícios, poucas pessoas vão considerar isso uma atitude boa ou saudável – ou ainda um uso adequado do dinheiro. Como disse Sêneca, "a virtude em si", ou a excelência de caráter, "é o único bem verdadeiro, uma vez que, sem ela, não há nada bom".[5]

O que torna uma virtude como a justiça ou a imparcialidade verdadeiramente boa é que ela é *sempre* boa, ou tende a ser. Em comparação, outras qualidades podem ser bem ou mal aplicadas. Ou seja, não são intrínseca ou consistentemente boas.

3

Algumas coisas "dependem de nós" ou estão inteiramente sob nosso controle, outras não.

Para os estoicos, as únicas coisas que estão *totalmente* sob nosso controle são as nossas capacidades de juízo, de opinião, de tomada de decisões, nossa vontade e o modo como interpretamos nossas experiências.

Para reduzir o sofrimento emocional, uma pessoa precisa se concentrar no que está sob seu controle, ao mesmo tempo que tenta construir uma vida melhor e um mundo melhor para os outros (vamos explorar essa ideia no Capítulo 6, "Como domar a adversidade", e no Capítulo 8, "A batalha contra a Fortuna").

4

Embora não possamos controlar o que acontece conosco no mundo exterior, podemos controlar nossos juízos interiores e o modo como reagimos aos acontecimentos da vida.

Isso é bastante significativo para os estoicos, pois as emoções negativas extremas se originam de opiniões ou juízos falhos. Porém, se compreendermos e corrigirmos as interpretações falhas vendo as coisas de maneira diferente, também conseguiremos nos livrar das emoções negativas (veja o Capítulo 3, "Como superar a preocupação e a ansiedade", e o Capítulo 4, "O problema da raiva").

5

Quando acontece algo negativo ou quando somos atingidos pela adversidade, não devemos nos surpreender, e sim enxergar o fato como uma oportunidade para criar uma situação melhor.

Para os estoicos, todo desafio ou toda adversidade em nosso caminho é uma oportunidade para testar e desenvolver nosso caráter interior. Além disso, acreditar que infortúnios nunca se abaterão sobre nós significaria estar fora da realidade. Em vez disso, devemos ativamente esperar por solavancos ocasionais – e às vezes bem grandes (confira o Capítulo 6, "Como domar a adversidade").

6

A virtude, ou caráter excelente, é uma recompensa em si mesma. Mas também resulta em eudaimonia, *ou "felicidade", um estado de tranquilidade mental e alegria interior.*

O termo *eudaimonia* costuma ser traduzido de maneiras diferentes: "felicidade", "prosperidade", "bem-estar" e "melhor mentalidade possível". No entanto, para os estoicos, a tradução mais exata é provavelmente "ter uma vida que valha a pena ser vivida" (confira o Capítulo 14, "Liberdade, tranquilidade e alegria duradoura").

De acordo com um dos famosos "paradoxos" ou máximas paradoxais dos estoicos, uma pessoa sábia, um sábio estoico, possuiria *eudaimonia* mesmo sob tortura! Embora não caiba descrever uma pessoa submetida à tortura como "feliz" no sentido contemporâneo da palavra, *seria possível* imaginar que sua vida *valia a pena ser vivida*, especialmente se estivesse sendo torturada por ter se oposto a um tirano cruel.[6] Da mesma forma, muitos heróis abriram mão da própria vida lutando por um bem maior, a fim de beneficiar a sociedade. Em outras palavras, viver a melhor vida possível ou uma vida que realmente valha a pena pode envolver alguma dor.

7

A verdadeira filosofia envolve "progredir".

A filosofia envolve pensamento crítico, análise intelectual e tentativa de compreender o mundo cientificamente. Mas, em última análise, para os estoicos, a dimensão mais importante da filosofia é a *ética*, que tem um aspecto muito prático. Os estoicos romanos viam a verdadeira filosofia como uma espécie de caminho pelo qual se avança em direção à virtude ou ao desenvolvimento de um caráter melhor (veja o Capítulo 1, "A arte perdida da amizade").

8

É essencial que nós, como indivíduos, contribuamos para a sociedade.

Os estoicos eram os filósofos mais sociais do mundo antigo. Eles ensinavam que a humanidade é como um único organismo e que nós, como partes desse organismo, devemos contribuir para o bem maior da sociedade em geral (veja o Capítulo 10, "Como ser autêntico e contribuir para a sociedade"). É importante ressaltar que os estoicos não estavam interessados apenas em melhorar a própria vida, e sim a de toda a humanidade.[7]

A VIDA DE SÊNECA E A TRANSFORMAÇÃO DA ADVERSIDADE

Este é um livro sobre as ideias de Sêneca, e não sobre sua vida. No entanto, é natural que exista alguma relação entre os dois temas, por isso certos detalhes são pertinentes. (Para aqueles que gostariam de aprender mais sobre a vida do filósofo, recomendo a excelente biografia escrita por Emily Wilson,[8] ainda sem tradução no Brasil.)

Sêneca nasceu por volta de 4 a.C. em uma próspera família da ordem equestre, ou seja, uma família de cavaleiros romanos, onde hoje é a cidade de Córdoba, na Espanha. Seu pai, Sêneca, o Velho (54 a.C.-39 d.C.), era professor de retórica e oratória. Assim como hoje, ser um ótimo comunicador era uma habilidade vital para construir uma carreira de sucesso no Império Romano, e a família de Sêneca se destacou nisso.

Pouco se sabe sobre a infância de Sêneca. O pai o levou para Roma quando ele tinha cerca de 5 anos. Na adolescência, ele estudou com vários professores, incluindo diversos filósofos.

Infelizmente, Sêneca sofria de algum tipo de doença pulmonar crônica, provavelmente uma combinação de asma e tuberculose. Por volta dos 25 anos, sua tia o levou para Alexandria, no Egito, a fim de tentar vencer a doença, que provavelmente fora agravada em Roma. Ele acabou ficando 10 anos por lá e só voltou a Roma quando estava com uns 35 anos. Felizmente para Sêneca, sua tia dispunha de contatos políticos e, graças à influência dela, ele pôde ingressar no Senado romano, quando Roma estava sob o domínio de Calígula.

Com a dissolução da República romana, os recém-estabelecidos imperadores passaram a concentrar, para todos os efeitos e propósitos, poderes absolutos, o que levou, é claro, a terríveis abusos. Os reinados de Calígula (12-41 d.C.), Cláudio (10 a.C.-54 d.C.) e Nero (37-68 d.C.), sob os quais Sêneca viveu, foram extremamente marcados por corrupção, assassinatos, envenenamentos, infidelidade (incluindo relatos de incesto), exílio de inocentes, torturas brutais e outros atos terríveis, muitos deles motivados apenas por caprichos. Era como uma novela muito ruim com consequências mortais na vida real.

Como senador no império de Calígula, Sêneca começou a acumular grande riqueza pessoal, e seguiu acumulando ao longo de toda a sua vida. Mas essas recompensas financeiras eram, na verdade, benefícios ambíguos, pois, à medida que Sêneca ascendia ao topo da pirâmide social e política, sua vida corria risco cada vez maior.

No auge de sua carreira, sob o reinado do imperador Nero, Sêneca, ao que parece, administrou o Império Romano – com a ajuda de Sexto Afrânio Burro, o comandante da guarda pretoriana. Aos 16 anos, Nero era apenas um adolescente quando se tornou imperador, por isso não tinha experiência para governar sozinho o maior império do mundo. Durante os primeiros cinco anos de seu reinado, Sêneca o guiou, e as coisas correram bem para ambos e para o Império Romano. Sêneca também foi eleito cônsul, o mais alto cargo político que alguém poderia exercer em Roma. No entanto, após aquele pacífico período de cinco anos, Nero assumiu o controle total e começou a agir de forma sanguinária.

Quando Sêneca escreveu suas *Cartas*, já idoso, ele sabia que sua vida estava ameaçada por Nero, que tinha o péssimo hábito de matar pessoas de quem não gostava. Sabendo que corria risco de morte, Sêneca tentou duas vezes se afastar do imperador, mas sem sucesso.

Aos 43 anos, teve problemas com Calígula, que quis matá-lo por inveja, depois de se sentir ofuscado por um discurso brilhante que Sêneca fizera ao Senado. Por sorte, uma das amantes de Calígula o convenceu a não matar Sêneca, que estava doente e, acreditava ela, logo morreria.

Dois anos depois, o imperador Cláudio o exilou na ilha da Córsega por oito anos e tomou metade de suas propriedades, em troca de não encomendar sua morte e recorrendo a acusações falsas. Esse exílio, que provocou a separação total entre Sêneca e a esposa, ocorreu poucas semanas após a morte de seu único filho, que ainda era apenas um bebê.

Sêneca passou oito anos na Córsega, onde escreveu boa parte de sua obra (porque não havia mais nada que fazer ali), e então foi finalmente chamado de volta a Roma, sob a condição de se tornar tutor do jovem Nero, à época com 11 anos.

Apesar de seus esforços, o projeto de desenvolver um bom caráter em Nero foi um fracasso. O futuro imperador não tinha interesse em filosofia nem em ética, apenas na própria satisfação e no poder à custa dos outros, o que fez dele um tirano monstruoso. Nero mandou matar muitas das pessoas que o cercavam, incluindo a própria mãe, o irmão e a esposa, que ele considerava entediante em comparação à amante. Por fim, após o fracasso de uma conspiração que visava destituí-lo do poder, Nero também condenou Sêneca à morte, então com 69 anos. Nessa nova onda de assassinatos, os dois irmãos e o sobrinho de Sêneca também perderam a vida.

Essas graves complicações hoje destruiriam a saúde mental de muitas pessoas, mas Sêneca recorreu à filosofia estoica para superar as dificuldades e transformar as adversidades em algo positivo. Mesmo quando Nero o condenou, já idoso, a cometer suicídio – destino preferível às formas de execução disponíveis –, Sêneca aproveitou a ocasião da própria morte para fazer um último discurso sobre filosofia a vários amigos presentes, exatamente como Sócrates fez quando foi obrigado a beber cicuta.

Como parte de seu treinamento filosófico estoico, Sêneca se preparou para a morte ao longo dos anos e, ao renunciar à vida, não demonstrou um traço sequer de receio ou preocupação. "Quem não conhecia a brutalidade de Nero? Depois de matar a mãe e o irmão, só lhe restou o assassinato de seu tutor e professor",[9] teria dito ele, sem rodeios. E, embora suas últimas palavras sobre filosofia não tenham chegado até nós, é possível imaginá-lo ecoando as palavras de Sócrates sobre a própria morte: "Embora vocês possam me matar, não podem me fazer mal."[10] Ou seja, embora ele tenha morrido fisicamente, seu caráter interior não poderia ser destruído.

O MUNDO DE SÊNECA É NOSSO MUNDO

Se você ler a obra de Sêneca, uma das coisas mais impressionantes que vai observar é que, mesmo tendo sido escritas há 2 mil anos, suas *Cartas* retratam com precisão nosso mundo atual.

Os cidadãos ricos de Roma transformaram o consumismo em uma arte refinada e se deleitavam com o luxo e o hedonismo. Assim como agora podemos ir ao supermercado e comprar laranjas e abacates cultivados no outro lado do mundo, os romanos haviam desenvolvido tanto o comércio internacional que produtos raros, alimentos e itens luxuosos vindos de terras distantes inundavam Roma.

Os romanos das classes mais altas ostentavam a riqueza como indicador de prestígio social. O que hoje chamamos de "seguir influenciadores" já existia na Roma antiga. Como descreve Sêneca:

> Quantas coisas adquirimos apenas porque outras pessoas as compraram e porque estão em muitas casas. Muitos de nossos problemas são explicados por copiarmos o exemplo dos outros: em vez de seguir a razão, somos desviados do caminho pela convenção. Se apenas algumas pessoas fizerem algo, não as imitaremos. Mas

quando a maioria começa a agir de determinada maneira, acompanhamos como se algo fosse mais honroso apenas porque é mais frequente.[11]

Os ricos construíam mansões à beira-mar, feitas de mármore exótico, com vista espetacular para o oceano, piscinas, elegantes casas de banho e todos os luxos imagináveis. Outros importavam de longe neve e gelo a fim de resfriar suas bebidas e piscinas durante os meses quentes de verão. Outros também ofereciam banquetes, jantares e festas extravagantes, muitas vezes a um custo astronômico, com as mais raras iguarias de todos os cantos do mundo, que depois vomitavam para abrir espaço no estômago para mais comida.

Embora os romanos tivessem vivido modestamente em épocas anteriores, esse não era mais o caso. A cultura romana de gastos elevados exibia o mesmo tipo de excesso associado hoje às celebridades. Sêneca pondera:

> Pessoas autoindulgentes querem ser o centro das atenções a vida inteira. Se a fofoca para, elas se sentem mal e fazem algo novo para despertar a notoriedade. Muitas gastam grandes somas de dinheiro e muitas mantêm amantes. Para ganhar fama nessa multidão, é preciso aliar extravagância e destaque. Em uma cidade tão movimentada, vícios comuns não são divulgados.[12]

Tais hábitos ainda são comuns por um simples motivo: a natureza humana não mudou. Embora tenhamos avançado tecnologicamente, em termos psicológicos somos exatamente iguais às pessoas da época de Sêneca. Somos criaturas complexas sujeitas tanto a ganância, ambição, preocupação, medo, tristeza, raiva, ansiedade financeira, desejo sexual e vícios quanto ao desejo de sermos boas pessoas e fazermos do mundo um lugar melhor.

Embora defendesse uma vida simples, o estoicismo não proibia o acúmulo de riqueza, desde que fosse usada com sabedoria. Como um dos homens mais ricos do Império Romano, cujos colegas de profissão eram os principais membros da elite social, Sêneca experimentou as consequências da busca pelo luxo excessivo. É bem provável que isso o tenha levado a reconhecer o vazio e a superficialidade de uma vida dispendiosa, o que o fez criticá-la:

> Admiramos paredes folheadas com uma fina camada de mármore, mesmo sabendo quais defeitos o mármore esconde. Enganamos nossos próprios olhos e, depois de cobrirmos nossos tetos com ouro, com o que nos regozijamos, senão com uma mentira? Pois sabemos que sob o dourado se esconde algum material feio. E essa decoração superficial não se espalha apenas por paredes e tetos. Todos aqueles homens famosos que você vê se pavoneando de maneira grandiosa possuem uma felicidade fina como folha de ouro. Olhe dentro deles e você verá quanta corrupção existe por trás desse frágil verniz de prestígio.[13]

O que torna Sêneca único na tradição estoica é sua profunda percepção psicológica da condição humana, incluindo a ambição e os medos. Ele foi a primeira pessoa do mundo ocidental a explorar profundamente a psicologia do consumismo. Também fez contribuições significativas, válidas ainda hoje, para a compreensão das emoções e da ira. Em resumo, Sêneca não foi um teórico acadêmico, mas alguém que "viu de tudo" na vida: o melhor e o pior da natureza humana.[14] Ele vivenciou aquilo sobre o qual escreveu e tinha uma capacidade única de compreender as motivações internas, psicológicas, das outras pessoas. É isso que faz de Sêneca um guia tão valioso para os leitores contemporâneos, mesmo 2 mil anos depois.

No fim das contas, a época de Sêneca é a nossa época. Ele é nosso contemporâneo e compartilhamos profundamente das mesmas preocupações.

CAPÍTULO 1

A arte perdida da amizade

> Coisa alguma jamais me satisfará, por mais excelente ou benéfica que seja, se eu precisar guardar apenas para mim o fato de que a conheço... Não há prazer em possuir uma coisa boa sem amigos com quem compartilhá-la.
>
> Sêneca, *Cartas* 6.4

QUANDO SÊNECA ESTAVA NA FAIXA DOS 60 ANOS, SEU GRANDE AMIGO LUCÍLIO enfrentava um problema sério.

Lucílio era um pouco mais jovem e, sob a administração de Nero, governava a região da Sicília. Como Sêneca, Lucílio era ambicioso, talentoso, dedicado e bem-sucedido. Construíra uma carreira no alto escalão e até alguma fama no meio social de sua época. Mas, em algum momento desse processo, ele descuidou do próprio bem-estar. Em termos atuais, estava passando por uma crise existencial.

Buscando o conselho de um amigo confiável, Lucílio recorreu a Sêneca. Ele queria se aposentar e ter uma vida mais significativa e satisfatória, mas também estava acostumado à riqueza e a ser alvo frequente de aclamação pública. Além disso, como acontece com muitas pessoas hoje, Lucílio se perguntava se tinha recursos financeiros suficientes para manter seu estilo de vida na aposentadoria ou se deveria trabalhar por mais alguns anos para aumentar suas economias. Embora desejasse ser livre, ele temia as consequências de abandonar um cargo bem-remunerado.

Embora nunca mencionada por estudiosos, essa é a história por trás das cartas de Sêneca a Lucílio.

As perguntas sobre como adaptar a vida depois da aposentadoria deram a Sêneca um motivo para redigir suas maravilhosas *Cartas*, escritas não apenas para o amigo, mas para um círculo mais amplo de leitores. As *Cartas* são um curso introdutório, engenhosamente preparado, sobre o entendimento de Sêneca a respeito da filosofia estoica. E por trás de todo esse projeto ainda havia a crença no profundo e transformador poder da amizade. Ao longo de suas *Cartas*, Sêneca discute muitos aspectos da amizade, mas a passagem a seguir ressalta por que esse tipo de relacionamento é tão essencial:

> A amizade estabelece entre nós uma parceria em todos os aspectos. Nada é bom ou ruim apenas para um de nós: compartilhamos a vida. Ninguém que se preocupe somente com o próprio bem pode viver feliz. Se você quiser viver para si, precisa viver para o outro. Com cuidado e respeito especiais, esse companheirismo une a humanidade como um todo e garante a todos nós certos direitos em comum. Mas também é útil para nutrir o tipo de amizade mais próxima, da qual tenho falado. Pois alguém que tem muito em comum com outro ser humano terá tudo em comum com um amigo.[1]

Embora Sêneca tenha apresentado sua filosofia de vida para Lucílio por meio de cartas e correspondências, ele escreveu suas primeiras obras filosóficas para outros amigos, parentes e conhecidos. Seu objetivo era ajudá-los a alcançar a paz interior, a superar o sofrimento e a enfrentar diferentes desafios. Como se vê, Sêneca achava que, por ser a arte de viver, a filosofia não se baseava na criação de um sistema abstrato para outros intelectuais. Pelo contrário, envolvia relacionamentos pessoais, uma vez que, para ele, deveria ajudar as pessoas no mundo real.

Sêneca teceu críticas aos filósofos acadêmicos de sua época, pois estes reduziam a filosofia a argumentos lógicos desinteressantes. A abordagem que adotavam não parecia convincente e era insignificante para satisfazer as necessidades humanas. Sêneca separava claramente a "filosofia verdadeira" de sua alternativa, e enxergava a primeira como um jogo de palavras, uma mera competição intelectual. Muitos filósofos de seu tempo, dizia ele, se concentravam em analisar detalhes e discutir minúcias em vez de explorar ideias que poderiam melhorar a vida humana. Ele insistia que o verdadeiro aprendizado é para toda a vida, não apenas para a sala de aula.[2] Embora as ideias filosóficas de Sêneca fossem sistemáticas e consistentes, ele compreendia a importância de, como escritor, apresentar seus pensamentos de forma interessante e convincente. Comunicando-se com habilidade literária e força dramática, ele dava vida à filosofia, tornando-a inesquecível.

Lucílio via em Sêneca tanto um amigo próximo quanto um mentor e conselheiro filosófico, papel que Sêneca se alegrava em desempenhar. Às vezes os amigos eram excelentes mentores. Um conhecia tão bem o outro que podiam dar opiniões sinceras que pareceriam estranhas ou até hostis vindas de um desconhecido. Por isso, há vários trechos nas cartas em que Sêneca "rejeita" duramente as opiniões falsas (vistas de sua própria perspectiva estoica) que provocavam a ansiedade mental de Lucílio.

Quando necessário, Sêneca ajudava Lucílio a reavaliar seriamente as crenças arraigadas que estavam por trás de seus problemas. Ele encorajava o amigo a olhar as coisas sob outra perspectiva, fazendo-o repensar determinada situação. Algumas das cartas de Sêneca mais parecem sessões de psicoterapia, em que terapeutas desafiam os clientes a questionar os próprios padrões de pensamento. Em todos os seus escritos filosóficos, Sêneca desempenha o papel de mentor, oferecendo conselhos sensatos e argumentos racionais para lidar com as dificuldades da vida real. E faz isso ajudando seus leitores a reconsiderar as crenças mais profundas. Para Sêneca e os estoicos, a menos que se possa remover ou desconstruir as falsas crenças que causam sofrimento mental, é impossível ter uma vida mais feliz.[3]

INSTRUMENTOS DE AMIZADE

> Sempre que suas cartas chegam, parece que estou com você. Sinto que estou prestes a falar minha resposta em vez de escrevê-la.
>
> Sêneca, *Cartas* 67.2

Estar com um amigo é a melhor maneira de desfrutar da companhia de alguém e ter conversas significativas. Mas isso nem sempre é possível.

Na Antiguidade, a carta era um instrumento para construir, manter e fortalecer amizades, uma ponte para a distância física. Como Sêneca escreveu a Lucílio: "Nunca recebo uma carta sua sem me sentir imediatamente em sua companhia."[4] As cartas continuaram a desempenhar essa função até serem substituídas recentemente pelo e-mail.

No entanto, infelizmente perdemos algo vital com essa transição. Embora rápidos e eficientes, os e-mails tendem a parecer sem vida e superficiais. Já uma carta bem escrita pode oferecer outra experiência, transmitindo de forma mais profunda a personalidade e os pensamentos íntimos do remetente. Enquanto os e-mails são logo esquecidos, uma carta envolvente pode ser revigorante, sendo depois guardada em um lugar especial.

O fato de escrever cartas ter saído de moda é, creio eu, no mínimo uma pequena contribuição para a "epidemia de solidão" sobre a qual lemos com tanta frequência hoje. Ironicamente, embora mídias sociais como o Facebook nos conectem a centenas de pessoas, muitas se sentem mais solitárias do que nunca: o nível de comunicação das redes sociais é muito reduzido se comparado com as conversas *verdadeiras* de que precisamos para nosso crescimento como seres humanos e nossa felicidade. Enquanto as cartas podem incorporar um diálogo em curso, as mídias sociais são uma reunião de *comentários* – e essas duas coisas diferem bastante uma da outra.

É claro que é possível escrever um e-mail como se fosse uma carta – felizmente, isso às vezes acontece. No entanto, uma vez que a maioria dos e-mails é superficial e funciona apenas como uma nota rápida, o meio em si encoraja uma comunicação menos atenta e profunda do que se fosse por cartas físicas. Dito de outra forma, com o e-mail nossa comunicação é mais rápida e frequente, mas também menos profunda.

Nas cartas a Lucílio, Sêneca apresenta o modelo do que pode ser uma amizade profunda. Só que, em nossa cultura utilitarista, acelerada, voltada para gratificação e resultados imediatos, muitas vezes nos esquecemos do que as amizades profundas e satisfatórias necessitam.

Há mais de 2 mil anos, Aristóteles (384-322 a.C.) já tinha enfatizado a importância da amizade, a qual dividiu em três tipos. Ele afirmou que é impossível viver uma vida feliz sem amizades significativas. Embora seja improvável que você estude sobre a amizade na faculdade de filosofia, esse assunto foi tão crucial para Aristóteles que ele dedicou uma parte de *Ética a Nicômaco*, sua principal obra, para explorar a natureza e o significado desse sentimento.

O nível mais básico de amizade, segundo Aristóteles, depende do benefício mútuo. Essas *amizades por vantagem* são semelhantes aos contatos de trabalho que você faz em um evento de networking. São mais superficiais e breves, pois geralmente são egoístas: quando o benefício de um dos lados deixa de existir, a amizade também se dissolve. Eu não chamaria essas pessoas de amigas, e sim de conhecidas. Nas palavras de Sêneca: "A verdadeira amizade é despojada de dignidade quando alguém faz um amigo apenas para ampliar seu ganho pessoal."[5]

Outra forma de amizade depende do prazer mútuo. Essas *amizades por prazer* consistem em pessoas apreciando a companhia umas das outras. Isso pode incluir um colega de bar, alguém com quem você gosta de ir ao cinema ou de passar o tempo.

Para Aristóteles, o nível mais profundo de amizade é o que se confere na admiração mútua: as *amizades por caráter* são baseadas em algo bom ou virtuoso que uma pessoa percebe em outra. Exigem confiança e investimento de tempo, e podem ser o tipo de vínculo que facilmente dura a vida toda. Aristóteles declarou que essa amizade é "perfeita", pois implica compartilhar sua vida interior e desejar sinceramente o bem da outra pessoa. E, como é preciso investir tempo nesse tipo de troca, a quantidade de amigos verdadeiros acaba sendo limitada.

Tanto Aristóteles quanto Sêneca acreditavam que nenhuma vida humana pode ser totalmente satisfatória no isolamento, sem o vínculo de amizades verdadeiras baseadas no amor e no conhecimento de outrem.[6] Igualmente importante é o fato de que, ao passar o tempo e conversar com outras pessoas, também podemos desenvolver nossas qualidades interiores. Um amigo é para o outro uma espécie de espelho, pois, ao observar em alguém qualidades que você mesmo ainda não desenvolveu, você se inspira a aprimorar seu caráter, a se tornar uma pessoa melhor.[7]

Essa é a arte perdida da amizade que Sêneca e Lucílio praticavam e que não era apenas filosófica, mas repleta de afeto sincero. Fundamentado em um diálogo envolvente e no desejo de bem-estar do outro, esse é o tipo de amizade pelo qual as pessoas anseiam, mas para o qual não temos muitos exemplos. Essas amizades raras e mais profundas, que nos parecem significativas, dão a sensação de que somos mais humanos e estamos plenamente vivos; não apenas aumentam nossa qualidade de vida, como também nos tornam pessoas melhores.

PROGREDINDO JUNTOS

Sêneca estava animado quando escreveu uma de suas primeiras cartas a Lucílio, como mostra o entusiasmo da primeira frase: "Agora, Lucílio, consigo perceber que não só estou me aperfeiçoando, mas me transformando!"[8]

Ele não estava apenas tentando ajudar Lucílio a aprimorar o próprio caráter, como faria um mentor. Essa frase demonstra que ele esperava o mesmo *para si*. Embora estudasse o estoicismo desde a adolescência, Sêneca sentia que ainda precisava progredir muito em termos pessoais.

Depois de dizer a Lucílio que estava vivendo uma transformação, Sêneca explica essa percepção com mais profundidade. Ele sabe que tem "muitas características a serem identificadas e amenizadas ou fortalecidas"[9] e acredita que esse entendimento é importante. É a prova de uma mente que se transformou para melhor, pois agora é capaz de enxergar os próprios defeitos.

O que Sêneca sentia era exatamente o tipo de transformação que queria ver em Lucílio. Talvez, em sua empolgação, o filósofo estivesse tentando enfatizar e transmitir essas sensações para o amigo. Para Sêneca, quando duas pessoas puderem dar suporte uma à outra, aprimorar o caráter e progredir juntas, terão o tipo ideal de amizade.

Amizades e relações significativas são cruciais na filosofia de Sêneca por outro motivo (veja o Capítulo 9, "Multidões cruéis e laços que unem"). As pessoas que nos cercam têm grande impacto em nosso caráter. Para

Sêneca, devemos escolher a dedo nossas amizades, pois é fácil assumir ou absorver inconscientemente os traços nocivos da personalidade dos outros. Por outro lado, estar perto de pessoas boas também nos ajuda a desenvolver um caráter adequado. Essas amizades nos ajudam a progredir.

TRAÇANDO UM CAMINHO: ESTOICISMO COMO PROGRESSO

Como Sêneca percebeu, só é possível progredir de verdade quando você tem consciência de seus defeitos ou do que possa lhe faltar.

Essa ideia foi inicialmente associada a Sócrates, que chegou a essa conclusão mediante os ensinamentos da sábia sacerdotisa Diotima. Segundo ela, os deuses possuem uma sabedoria perfeita, por isso não a buscam. A maioria das pessoas nem mesmo sabe que não possui sabedoria, por isso também não a busca. No fim das contas, só é possível buscar sabedoria se você percebe que há algo faltando.[10]

Em outras palavras, se você não percebe suas falhas, não se dedica ao autoconhecimento ou não analisa seriamente seus valores, você está, de fato, inconsciente de tudo isso, e pouco ou nenhum progresso será possível.

Para os estoicos romanos como Sêneca, tudo tinha como foco o progresso em direção à sabedoria e ao desenvolvimento de um caráter melhor, e o objetivo final era se tornar um sábio estoico ou uma pessoa sensata.

Isso faz todo sentido, ao passo que, a meu ver, uma das ideias mais estranhas e prejudiciais dos primeiros estoicos gregos era enxergar a virtude em si, ou o bom caráter, como uma questão de tudo ou nada. Isso significava que apenas o sábio estoico era virtuoso, enquanto todas as outras pessoas eram descritas como tolas, cheias de vícios e até insanas. Essa ideia vinha dos cínicos, o que ajuda a explicar sua natureza incomum e questionável.

Zenão de Cítio, o fundador do estoicismo, foi fortemente influenciado pela vida e pelo pensamento de Sócrates, mas também por outra escola filosófica grega: o cinismo. Buscando um estado de liberdade radical, os cínicos viviam pedindo esmolas pelas ruas de Atenas e eram famosos por declarações e comportamentos que desafiavam abertamente as convenções sociais. (Ao que parece, Platão descreveu o filósofo cínico Diógenes como "um Sócrates enlouquecido".[11]) Quase todas as ideias mais radicais de Zenão remontam aos cínicos, assim como a de que a virtude é uma questão de tudo ou nada.[12]

Não há nada de errado com a ideia fundamental do sábio estoico. Na verdade, é um conceito muito útil. O problema está na ideia de que a virtude é uma questão de tudo ou nada: *ou* a pessoa é totalmente virtuosa *ou* completamente desprovida de virtude. Por isso, a ideia de Zenão sobre a separação radical entre um sábio e o resto da humanidade não era nada útil e, embora certamente tenha atraído atenção, foi prejudicial para a escola estoica, que acabou ridicularizada por outros filósofos antigos.[13]

Em outras palavras, a maioria dos filósofos atuais identificaria a ideia de que a virtude é uma questão de "tudo ou nada" como uma *falsa dicotomia*, uma falácia lógica. Da mesma forma, um filósofo contemporâneo não esperaria que ninguém fosse perfeitamente virtuoso, mas buscaria uma excelência geral de caráter.

A esse respeito, estoicos romanos como Sêneca, que vieram depois, me parecem muito mais realistas do que os primeiros gregos. Enquanto os estoicos gregos descreviam o sábio como um tipo de ser indiferente e emocionalmente distante, Sêneca fazia o sábio parecer mais humano. Ele destacava que, como todo mundo, o sábio estoico está sujeito aos sentimentos humanos comuns. E, mais importante, os estoicos romanos davam destaque às pessoas que tentavam progredir em direção à virtude ou ao aprimoramento do caráter. No que diz respeito ao estoicismo, isso sugere que existem três grupos de pessoas: os *sábios*, as *pessoas que progridem para se tornarem sábias* e as *pessoas que não progridem*. Embora chamemos o terceiro grupo dessa forma, os estoicos romanos não lhe atribuíram nome, nem mesmo o definiram.[14] Apesar disso, como podemos perceber com clareza nos escritos de Sêneca, esse último grupo é formado por pessoas inconscientemente amarradas ou submetidas a crenças falsas e não testadas. Para nossos propósitos, vamos chamá-las de *não questionadoras* (veja a Figura 1), ecoando Sócrates: "A vida não examinada não vale a pena ser vivida."

Agora tentarei mapear esse modelo para explicar por que os estoicos romanos viam o estoicismo como uma espécie de caminho e por que achavam que era possível progredir um pouco a cada dia por meio de autorreflexão, prática e treinamento. Segundo eles, mesmo que seja pouco provável alcançar o nível de um sábio estoico, ainda é possível fazer progressos nessa direção.

Figura 1: Três tipos de pessoas no caminho filosófico, segundo os estoicos romanos.

No alto da Figura 1 encontramos o sábio estoico, uma pessoa perfeitamente sensata. Em circunstâncias normais, um sábio estoico é feliz, alegre, tranquilo e psicologicamente equilibrado. Além disso, não vivencia nenhuma paixão (*pathē*, em grego) ou emoção violenta, como raiva extrema, pois essas emoções intensas surgem de juízos interiores falhos. O que mantém o sábio estoico livre disso é a solidez de seus juízos. (Dito isso, é bom ressaltar que um sábio estoico também *tem* sentimentos humanos normais, o que discutiremos nos Capítulos 4 e 12.)

Como podemos perceber, o sábio estoico é uma espécie extremamente rara de criatura filosófica. Segundo Sêneca, é tão rara que só aparece uma vez a cada 500 anos, como a fênix egípcia – por isso, a pequena fênix no topo do diagrama, como um lembrete de sua raridade. E, embora quase todo filósofo estoico falasse sobre o sábio ou a pessoa sensata, nenhum deles afirmou ser um sábio estoico. Dentro da escola estoica, ao longo dos séculos, a pessoa mais comumente identificada como verdadeiro sábio foi Sócrates.[15]

Se não é impossível encontrar um sábio, embora sejam incrivelmente raros, qual o valor prático de sua existência? No fim das contas, o sábio é um modelo – uma bússola ou estrela guia – para dar aos estudantes um objetivo, para que se mantenham na direção certa. Nas palavras de Emily Wilson, biógrafa de Sêneca: "A figura do sábio estoico perfeito interessa a Sêneca não como uma abstração, mas como uma ferramenta para permitir que seus leitores se comportem melhor."[16]

O próprio Sêneca não afirmava ser um sábio, como ele mesmo admitia: "Estou longe de ser um humano tolerável, quanto mais perfeito."[17] Mas Sêneca se referia ao sábio com frequência, porque era uma ferramenta útil. Na verdade, Sêneca define tão bem a natureza do sábio em seus escritos que, diante de praticamente qualquer situação, um estudante do estoicismo poderia ter a resposta a essa pergunta: "Como um sábio estoico reagiria nessa situação?" Mesmo que não seja perfeita, essa é uma ferramenta funcional.

No nível oposto e menos filosófico da pirâmide, os *não questionadores* correspondem ao que Sócrates descreveu como o grupo dos inconscientes: por não perceberem que carecem de sabedoria, essas pessoas nunca desejarão buscá-la. (Pior ainda, algumas podem acreditar que *já* são sábias, o que é igualmente limitante.)

Em termos atuais, diríamos que a vida dos não questionadores é profundamente moldada por crenças adquiridas por meio da socialização e do condicionamento social, que eles ainda não começaram a questionar ativamente. Por isso, tendem a aceitar o valor aparente das coisas, como nas mensagens implícitas das peças publicitárias: "Comprar este produto aumentará seu prestígio e sua autoestima." Sob a perspectiva estoica antiga, crenças falsas profundamente arraigadas como essa inspiram a busca por prazer, luxo, riqueza, bens materiais, fama e aprovação social. Ao mesmo tempo, de acordo com a visão estoica, todas essas coisas são "falsos bens", não o *bem verdadeiro* de possuir um caráter excelente, o que também possibilitaria o uso de bens materiais de maneira sensata e benéfica. Além disso, as falsas opiniões defendidas pelos não questionadores muitas vezes os fazem vivenciar emoções negativas extremas, como preocupação, medo, ansiedade e raiva.

Considerando que você está lendo este livro, é provável que seja uma pessoa curiosa, interessada em aprender coisas novas e que *não* seja totalmente inconsciente (nem totalmente sábia). Em outras palavras, pertence ao grupo intermediário, que chamamos de *pessoas que progridem para se tornarem sábias*. Essas pessoas sabem que ainda *não* são sábias e, portanto, podem se aprimorar a fim de se tornarem pessoas melhores. Foi para esse público que Sêneca escreveu, incluindo Lucílio e a si mesmo na categoria.

O termo que os gregos antigos usavam para se referir ao estudante do estoicismo era *prokoptōn*, que significa "alguém que progride". Como nenhum dos filósofos estoicos alegou ser um sábio perfeito, mas tentaram progredir por meio da autorreflexão e de vários exercícios, todos eram então pessoas em busca do progresso.

Para progredir como ser humano, primeiro você deve perceber que é imperfeito ou que tem motivos para se aprimorar. Em segundo lugar, deve ter o desejo de se aprimorar. Não é coincidência que uma das palavras mais frequentemente usadas por Sêneca em suas cartas seja "progresso", em uma referência a avançar em direção à sabedoria. E, como ele próprio concluiu, "a maior parte do progresso consiste no desejo de progredir".[18] Pois, sem esse desejo, o progresso em si é impossível.

Curiosamente, uma questão que o estoicismo nunca explora em profundidade é: *o que faz de alguém uma pessoa que busca o progresso?* Embora não haja uma resposta exata, geralmente é necessário, digamos assim, um "chamado", que pode ser uma crise, uma perda pessoal, fracassos recorrentes ou apenas a percepção crescente de que a vida é muito preciosa para ser desperdiçada com os falsos bens que o mundo tenta nos vender. Por outro lado, o chamado pode ser um sentimento persistente de infelicidade ou depressão – porque as verdadeiras necessidades da pessoa não estão sendo atendidas por suas crenças ou seu estilo de vida.

FAZENDO PROGRESSOS DIÁRIOS

> Não exija que eu seja igual aos melhores, mas melhor do que os piores. Para mim, basta reduzir o número de meus vícios e corrigir meus erros a cada dia.
>
> Sêneca, *A vida feliz* 17.3

O estoicismo romano é o tipo de caminho cujo foco consiste em progredir de forma gradual, um passo de cada vez. Ninguém é perfeito, e é por isso que o estoicismo, pelo menos em parte, é uma *prática*. Não simplesmente uma prática a ser adotada, mas a ser *exercitada* – como um músico ou um atleta – para que você se torne melhor no que faz.

Todos os dias novas situações surgem para testar nosso caráter e nos apresentam oportunidades para sermos conscientes e virtuosos, fazendo os melhores (ou mais sábios) juízos possíveis.

As *Meditações* de Marco Aurélio destacam que o estoicismo é uma prática diária e gradual. Ao longo de muitos dias, Marco Aurélio fez em seu diário pessoal reflexões sobre como viver uma vida melhor. Fazendo essas anotações para si mesmo, ele exercitava as próprias crenças estoicas e meditava sobre como poderia aplicá-las em sua vida.[19] Esse também é um dos motivos pelos quais Sêneca registrava sua filosofia em cartas. Cada dia traz uma nova oportunidade de autorreflexão e progresso, e uma série de cartas é em si "um trabalho em curso" – exatamente como se configura o desenvolvimento do caráter.

Outras práticas estoicas mostram que o progresso é gradual, como a reflexão sobre as atividades do dia antes de dormir. Nesse exercício, praticado por Sêneca e outros filósofos, os estoicos analisavam os erros cometidos durante o dia e avaliavam como agir melhor no futuro. É como na explicação de Sêneca sobre o que fazia depois que sua esposa adormecia: "Examino cuidadosamente todo o meu dia e reviso minhas ações e palavras. Não escondo nada de mim mesmo e não negligencio nada. Por que eu deveria temer qualquer coisa em meus erros, se sou capaz de dizer: 'Certifique-se de não fazer mais isso, e agora eu perdoo você'?"[20]

Nas possíveis variações dessa prática, a pessoa pode se fazer as seguintes perguntas:

- Onde me enganei?
- Onde acertei?
- O que deixei de fazer?
- O que poderia fazer melhor no futuro?

Como podemos perceber a partir desse exercício, um estoico romano era encorajado a rever seu comportamento a cada dia, a fim de progredir de forma gradual e constante. (Outros "exercícios filosóficos" praticados pelos estoicos serão mencionados ao longo deste livro. O apêndice, "Exercícios filosóficos do estoicismo", também fornece uma pequena lista.)

VIVENDO A EXPERIÊNCIA DE UM SÁBIO

Embora nenhum filósofo estoico tenha afirmado ser um sábio perfeito, quando estudo profundamente os textos mais estimulantes dos estoicos romanos – Sêneca, Epicteto e Marco Aurélio –, não consigo deixar de acreditar que eles viveram algo como *momentos* de sabedoria, quando provavelmente sentiam paz de espírito, em harmonia com o universo, capazes de fazer os melhores juízos e de experimentar uma profunda sensação de alegria. Na verdade, vez ou outra eu também vivencio esses momentos de sabedoria, mesmo que durem pouco.

De acordo com os argumentos estoicos tradicionais, ser um sábio é uma questão de tudo ou nada. Mas, na minha opinião, há uma falha nesses argumentos. Qual é o sentido de desejar ser um sábio se não é possível experimentar um estado perfeito? Embora nossa vida cotidiana pareça longe da perfeição, existem aqueles raros momentos, às vezes vividos na natureza, em que podemos vislumbrar a beleza sublime e a perfeição do mundo, apesar do sofrimento ou da desordem existentes ao nosso redor.

Para além dessa experiência, que, acredito, pode ser vivida por qualquer pessoa, não importa se nos tornaremos sábios perfeitos. O que importava para Sêneca e os estoicos romanos era progredir de forma constante, aprimorando o caráter com o intuito de viver uma vida boa e significativa, independentemente das circunstâncias externas que pudessem enfrentar.

Para Sêneca, progredir não é uma experiência isolada: envolve amizade, compartilhar o tempo com espíritos semelhantes e receber ajuda dos outros. Os estoicos acreditavam fortemente no valor da comunidade humana. Em teoria, o tipo mais elevado de amizade existiria entre pessoas perfeitamente sábias. Mas, considerando que os sábios nem mesmo existem (ou são extremamente raros), o tipo de amizade mais próximo é o que existe entre as pessoas que se dedicam a ajudar umas às outras a progredir interiormente, a se tornarem seres humanos melhores. Embora todas as amizades tenham valor, as mais extraordinárias são aquelas que nos ajudam – bem como a outras pessoas – a compreender o mundo e a nós mesmos de maneira mais profunda.

CAPÍTULO 2

Valorize seu tempo: não adie a vida

Combinar todos os tempos em um só prolonga a vida.

Sêneca, *Sobre a brevidade da vida* 15.5

É UMA BELA E LUMINOSA MANHÃ DE OUTONO, ESTÁ UM POUCO FRIO, E PEGUEI um café quente para viagem. Agora, sentado em meu restaurante favorito, estou pronto para pedir um delicioso café da manhã. Eu me sinto particularmente feliz, como se um alegre reencontro estivesse prestes a acontecer. É que vou passar algum tempo com meu velho amigo Sêneca, e a ocasião é especial. Nesta manhã fresca, mas ensolarada, enquanto o mundo desperta e as pessoas se apressam a caminho do trabalho, estou iniciando outra leitura das *Cartas* de Sêneca, começando pela primeira.

Esta primeira carta, que tem menos de duas páginas, escritas em um estilo literário fascinante, é um alerta sobre como as pessoas subestimam o tempo. Embora Sêneca não tenha dado títulos às suas cartas, esta foi intitulada "Sobre economizar o tempo" ou "Assumindo o controle do seu tempo", em diferentes traduções.

NOSSO BEM MAIS VALIOSO

Sêneca acreditava que o tempo é nosso bem mais valioso. Como a vida é finita, resta a cada indivíduo um tempo limitado. Muitas pessoas, no entanto, seja pelo motivo que for, não valorizam seu tempo e desperdiçam a vida em buscas sem sentido. Então, quando chegam ao fim, percebem o erro que cometeram e se sentem profundamente arrependidas.

Lucílio havia escrito a Sêneca a respeito de seu desejo de ter uma vida melhor, com mais foco em seu interior. Estas são as primeiras linhas da resposta do filósofo:

> CARTA 1
>
> *De Sêneca a Lucílio, saudações*
>
> Continue, caro Lucílio, a se libertar: recupere e preserve seu tempo, que até agora vinha sendo tirado de você, roubado de você, ou simplesmente se dissipava. Convença-se destas palavras: alguns momentos nos são tirados, alguns nos são roubados e alguns simplesmente nos escapam.[1]

Para Sêneca, desperdiçamos muito tempo e grande parte da vida por displicência. Quando não estamos prestando atenção, a vida vai se esvaindo. Ele, então, pergunta a Lucílio: "Você pode me mostrar uma única pessoa que leve em consideração o valor do seu tempo, que dê importância ao valor de cada dia, que perceba que está morrendo todos os dias?" E, para tornar a questão ainda mais urgente, Sêneca acrescenta: "Estamos enganados em pensar que a morte está no futuro. Grande parte da morte já passou por nós, despercebida. Os anos que ficaram para trás já estão nas mãos dela."[2]

Não acho que Sêneca, quando escreveu essas palavras, estivesse sendo desagradável ou moralista, olhando com desprezo para o comportamento das outras pessoas e dizendo a elas como viver. Provavelmente, ele teve essas ideias com base na própria experiência. Sêneca tinha 66 anos quando escreveu essa carta, e, se os relatos do mundo antigo forem condizentes com a realidade, era nessa época que Nero estava tentando envenená-lo. Na verdade, foi mais ou menos nesse período que Sêneca avaliou a própria vida em outro texto, refletindo, arrependido, sobre todo o tempo que havia perdido. Com toda a franqueza, ele admitiu que "a velhice me acusa de ter consumido meus anos em buscas inúteis", uma situação que Sêneca estava tentando remediar, antes que fosse tarde: "Vamos nos apressar ainda mais e permitir que meu trabalho conserte os erros de uma vida desperdiçada."[3] Se analisarmos as entrelinhas, é tentador imaginar que, ao refletir sobre os anos desperdiçados, Sêneca estava se referindo a seu trabalho para Nero. Pois, embora tenha lhe sido altamente lucrativo do ponto de vista financeiro, no fim das contas Nero se cansou dele e queria vê-lo morto. Diante disso, Sêneca deve ter visto esse período como uma perda de tempo, quando poderia ter feito algo melhor. Na verdade, não muito antes de começar a escrever as cartas, Sêneca tentou se desvencilhar de Nero o máximo possível. Com planos de se aposentar, tentou por duas vezes devolver parte da riqueza e das propriedades que recebera do imperador, mas Nero se recusou a aceitar qualquer devolução e a permitir que o filósofo se aposentasse oficialmente.

PERDENDO TEMPO

Na carta, Sêneca encoraja Lucílio a não cair na armadilha de desperdiçar seu tempo e a valorizar cada minuto, pois o tempo é o único bem que nos pertence. Curiosamente, afirmava ele, embora valorizem os bens materiais, que têm pouco valor real, muitas vezes as pessoas deixam de valorizar o que lhes é mais precioso: o tempo limitado que constitui nossa vida.

Embora a primeira carta de Sêneca sobre o valor do tempo seja curta, a importância do tempo – e a importância de não desperdiçar nossa vida em buscas sem sentido – é um tema central em todos os seus escritos. É também uma contribuição única à filosofia estoica, porque outros estoicos não discutiram esse tópico. É importante destacar que, quando era jovem e estava no auge da carreira, Sêneca escreveu o livro *Sobre a brevidade da vida*, que aborda como aproveitar melhor o tempo. Talvez esse livro tenha sido escrito quando ele estava mais ocupado, ajudando a governar o Império Romano, na época em que Nero ainda era um adolescente.

"A vida, se você souber usá-la, é longa", escreveu Sêneca. "Não é que tenhamos pouco tempo de vida, mas o fato é que o desperdiçamos muito. A vida é longa, e temos tempo o bastante para realizarmos até mesmo as maiores coisas, se for bem aplicado. Mas, quando a vida se dissipa pela displicência e pela busca do luxo e quando a morte finalmente nos ameaça, percebemos que a vida passou antes de percebermos que ela estava passando."[4]

De acordo com Sêneca, as pessoas desperdiçam a vida de inúmeras maneiras: algumas por meio da ganância sem limites, outras buscando "realizações inúteis". Algumas por embriaguez, outras pelo ócio. Algumas por ambição política, outras perseguindo negociações internacionais. "Algumas pessoas estão esgotadas pela servidão que impõem a si mesmas: servir aos poderosos." Outras perdem seu tempo "buscando a riqueza alheia ou reclamando da própria riqueza". Algumas perdem tempo por não terem um objetivo consistente e se lançam de projeto em projeto, sem planejamento ou motivação. "Algumas pessoas não têm um objetivo para guiar seu curso, e a morte as surpreende enquanto estão paradas, se enfraquecendo e se entediando."[5] Embora tendam a ser muito cuidadosas na proteção de bens materiais e financeiros, segundo ele, quando se trata de proteger seu bem mais valioso, muitas pessoas o deixam escapar.

O CULTO À VIDA AGITADA NO PASSADO E NO PRESENTE

Sêneca desconfia muito de pessoas que se envolvem em "atividades" constantes, correndo de um lado para outro como se tivessem muitas tarefas a cumprir, ainda que realizem poucos feitos significativos nesse processo. Às vezes, as pessoas dizem que sua vida é agitada apenas para se exibir. Nas palavras de Sêneca: "Gostar de correr de um lado para outro não é prova de que alguém trabalha muito – é apenas a impaciência de uma mente agitada."[6] Diferente do que acontece quando se realiza um trabalho mental, *agir* como se você estivesse muito ocupado é perda de tempo.

Como observou Sêneca, algumas pessoas "acreditam que estar ocupadas é a prova de seu sucesso", enquanto alguém com um caráter mais firme não "se mantém ocupado apenas para se manter ocupado".[7] É claro que Sêneca não era indolente. Ele via o trabalho árduo como essencial, mas com certeza teria questionado a sabedoria do "multitarefa". Também teria questionado o valor de participar de longas e exaustivas reuniões de trabalho, nas quais não é decidido nada de significativo. Como podemos ver em seus escritos, esse tipo de coisa também existia em sua época e, assim como na atualidade, levava as pessoas a perder a noção das coisas que realmente importam na vida.

Em uma passagem ilustrativa e satírica, Sêneca escreveu: "Devemos reduzir a correria a que muitas pessoas se entregam, vagando por teatros, casas e mercados." Essas pessoas "se intrometem nos problemas alheios e parecem estar sempre ocupadas. Mas, se você perguntar para onde estão indo e o que estão planejando fazer, elas responderão: 'Por Hércules! Não sei! Mas vou encontrar algumas pessoas e fazer *alguma coisa*.'" Para Sêneca, é importante definir algum objetivo de vida, conforme observou: "As pessoas perambulam sem propósito, procurando ocupação, e não buscam o que tinham em mente, apenas aquilo com que se deparam." E conclui com uma crítica bem-humorada: "A perambulação dessas pessoas é desprovida de direção ou objetivo, como formigas que rastejam por arbustos até a ponta mais alta de um galho para, então, voltar até o chão."[8]

Se Sêneca escreveu *Sobre a brevidade da vida* quando estava no auge da carreira, devia estar também no auge de sua fase mais atarefada. Provavelmente, refletia sobre uma maneira melhor de viver. Talvez estivesse se perguntando como a vida dos outros e a sua própria haviam entrado em desacordo com o que ele acreditava ser um estilo de vida gratificante.

O problema da vida agitada, para Sêneca, é que leva à preocupação com questões banais. E, quando nos tornamos uma das "pessoas preocupadas", nas palavras dele, não conseguimos concentrar nossa mente em nada mais importante do que as tarefas que estamos tentando executar. Tenho certeza de que todos nós já passamos por isso e, como Sêneca, a maioria de nós também precisa trabalhar pela sobrevivência financeira. Então, a grande questão é: como podemos valorizar nosso tempo e viver ao máximo no momento presente sem nos sobrecarregarmos com tarefas e distrações banais? Como podemos evitar perder nosso eu interior em um turbilhão de atividades?

Uma ideia crucial para Sêneca é que não devemos adiar viver o momento presente na esperança de que um dia possamos nos aposentar e viver a vida que sempre sonhamos. Muitas pessoas têm essa expectativa e se frustram; às vezes, morrem antes mesmo de se aposentar. Em outros casos, por terem trabalhado a vida inteira, acabam não desenvolvendo nenhum interesse a que possam se dedicar durante a aposentadoria. Por causa dessa falta de interesse, há quem considere a aposentadoria monótona ou morra logo após parar de trabalhar. Na época de Sêneca, as coisas não eram diferentes, como ele observou:

> Você ouvirá muitos dizerem: "Depois de fazer 50 anos, vou me aposentar para me divertir. E, depois de fazer 60 anos, vou abandonar todas as funções públicas." Mas, pergunto, que garantia você tem de que sua vida vai durar tanto? Quem possibilitará que seus planos ocorram como você deseja? Você não tem vergonha de simplesmente guardar para si o pouco que lhe resta da vida e de desenvolver sua alma usando apenas o tempo que não pode ser gasto com trabalho? É tarde demais para começar a viver, justamente quando a vida está prestes a acabar![9]

Ainda que Sêneca valorizasse o trabalho árduo, o ócio também é essencial – o filósofo certamente teria concordado com a máxima de que devemos trabalhar para viver, não viver para trabalhar. Além disso, se possível, devemos buscar um trabalho significativo, que contribua para a sociedade.

Para Sêneca, precisamos prestar atenção em nossas tarefas essenciais quando trabalhamos, mas evitar as coisas banais; isso eliminará muito da "agitação" inconsequente descrita por ele. Por conseguinte, quando nossas tarefas essenciais estiverem concluídas, devemos descansar e voltar nossa mente para outras atividades.

É claro que o equilíbrio entre trabalho e ócio varia de pessoa para pessoa. Para Sêneca, o verdadeiro problema se encontra no fato de que as pessoas ficam viciadas em riqueza – ou no que *acreditam* ser riqueza –, o que as leva a uma mentalidade de que sempre é necessário mais. Essa crença, então, causa o alvoroço da vida preocupada. Para ele, quem tem o suficiente, mesmo que seja pouco, já é rico, enquanto é pobre quem vive buscando mais. Quando tem o "suficiente", você também tem tempo. Ao contrário, as pessoas que se esforçam para ganhar cada vez mais dinheiro e ascender cada vez mais socialmente adiam viver o agora e desperdiçam o tempo necessário para desenvolver sua vida interior.

VENCENDO A SERVIDÃO: UM CAMINHO ESTOICO PARA A LIBERDADE

Muitos leitores de Sêneca deixarão passar um fato importante, que eu, aliás, só descobri recentemente: o filósofo revela a chave para a compreensão de todo o projeto por trás de suas cartas na primeira frase de sua primeira carta. É como uma mensagem escondida à vista de todos.

Embora estivesse clara nas cartas originais, a mensagem não é evidente para os leitores das traduções. Segundo a maior parte das traduções, a primeira frase da carta de Sêneca diz: "Continue, caro Lucílio, a se libertar: recupere e preserve seu tempo, que até agora vinha sendo tirado de você, roubado de você, ou simplesmente se dissipava." Mas, no latim, nota-se que ela é mais específica: "Continue, caro Lucílio, a se libertar *para si mesmo.*"

A chave aqui é o trecho "se libertar para si mesmo", que, no original em latim, se refere a libertar alguém da servidão. Em outras palavras, a frase carrega este significado: "Continue, caro Lucílio – *continue se libertando da servidão*!"

Se em algum momento, no mundo antigo, existiu um aspecto bom na servidão, foi apenas o fato de um servo poder ser *livre*. Esse processo era conhecido como *manumissão*. Na época de Sêneca, alguns libertos ou ex-servos foram extremamente bem-sucedidos, enriqueceram e ocuparam posições no alto escalão da sociedade romana.

É importante destacar que, 300 anos antes de Sêneca, os primeiros estoicos gregos desenvolveram a ideia da servidão psicológica. Em um mundo onde a servidão física era generalizada, a servidão interior era um conceito extremamente poderoso e carregado de emoção. No entanto, a ideia funcionou bem porque a filosofia estoica prometia plena liberdade humana no nível interior. Zenão enfatizou esse pensamento em um de seus famosos "paradoxos estoicos", as frases instigantes pelas quais a escola ficou famosa. Plena de efeito teatral, sua máxima enigmática afirmava: "Apenas as pessoas sábias são livres; todas as demais são servas."[10]

Embora essa máxima tivesse o objetivo de chamar a atenção para os ensinamentos estoicos, produzindo um impacto mental em quem a lesse – como um meme da internet nos dias de hoje –, também deixava implícitas duas ideias distintas. A primeira é que é possível ser totalmente livre em termos físicos, mas ser um servo internamente. A segunda é que, *como filosofia, o estoicismo foi projetado para libertar seus praticantes da servidão a falsos juízos e opiniões que provocam emoções negativas como medo, ansiedade, ganância, raiva e ressentimento.*[11] E esse também é o objetivo do projeto das cartas de Sêneca, como ele revela na primeira frase da primeira carta: tudo se resume a encontrar a verdadeira liberdade na vida.

Para dar um exemplo, se você vive zangado, brigando com as pessoas à sua volta, dia após dia, você é servo das emoções negativas. Mas a liberdade também é possível. E, enquanto os estoicos falavam em "servidão psicológica", hoje falamos em *dependência*, que é um conceito relacionado.

Em outro texto, Sêneca explica: "É assim, caro Lucílio", enquanto "a servidão sujeita alguns, muitos outros se sujeitam à servidão". Por outro lado, se o desejo de liberdade de Lucílio for sincero e ele quiser abandonar a servidão, promete Sêneca, ele descobrirá a liberdade que busca progredindo no caminho do treinamento estoico.[12]

Na Grécia e na Roma antigas, liberdade não significava exatamente a liberdade "para fazer o que se quer" (ou permissão), e sim a liberdade do autocontrole, "estar livre" de algo. Significava autodomínio, pertencer a si mesmo e não ser servo de coisa nenhuma.

A ideia de que a filosofia estoica era um caminho que conduzia da servidão à liberdade foi ainda mais enfatizada pelo grande estoico romano posterior a Sêneca, Epicteto, ele mesmo um servo liberto. (Seu nome, Epicteto, significa "adquirido" em grego.)

Em suas aulas, Epicteto repreendia os alunos com bom humor, chamando-os de "servos", quando, na verdade, eram filhos de ricos aristocratas romanos. Como Zenão, Epicteto acreditava que "apenas indivíduos cultos podem ser livres".[13] Ele também defendia que um estoico em treinamento se assemelha a um servo que se esforça para se tornar livre.[14] Essa descrição clara da filosofia estoica e de seu poder de libertar a mente do sofrimento é um argumento grandioso em que eles confiavam piamente.

Aprender a valorizar e vivenciar o tempo em sua plenitude, para Sêneca, é também uma forma de superar outro tipo de servidão. Não deve ser coincidência o fato de hoje muitas pessoas menosprezarem seus empregos formais, muitas vezes referindo a si mesmas como "escravas assalariadas". Se elas se sentem aprisionadas pelo tempo, Sêneca oferece a rota de fuga definitiva.

VIVENDO O TEMPO EM SUA PLENITUDE

Para Sêneca, "é preciso uma vida inteira para aprender a viver", mas a mente preocupada de alguém viciado em trabalho contínuo não consegue absorver nada em profundidade. Quando sempre se concentram em como alcançar, *no futuro*, posições sociais mais elevadas ou mais riqueza, as mentes preocupadas não conseguem desfrutar totalmente do momento presente. O maior obstáculo a uma vida plena, segundo Sêneca, "é a expectativa, que se baseia no amanhã e desperdiça o hoje".[15]

A vida é dividida em passado, presente e futuro. Como as pessoas preocupadas sempre estiveram ocupadas, elas têm poucas lembranças felizes do passado. Já aquelas com mentes tranquilas têm muitas lembranças felizes. Como não estavam sempre trabalhando, tiveram mais tempo para aproveitar a vida, e ninguém pode tirar delas essas memórias.

Depois de discutir esses pontos, Sêneca faz uma afirmação surpreendente:

> Entre todas as pessoas, apenas aquelas que encontram tempo para a filosofia realmente têm tranquilidade – somente elas vivem de verdade. Pois não apenas preservam suas vidas, como adicionam à própria época todas as outras. Somam a seus anos de vida todos os anos que vieram antes delas.[16]

Sêneca, então, explica que os grandes fundadores das escolas filosóficas do passado ofereceram aos seres humanos um caminho para percorrer na vida e, assim, nos transmitiram tesouros valiosos. Todos esses dons, e mesmo os maiores pensadores da Antiguidade, são coisas (e pessoas) às quais ainda temos acesso, em razão do poder da mente humana. Graças a esse poder, não precisamos ficar presos em nossa própria época. Podemos usufruir do trabalho de eras passadas e até mesmo debater com filósofos do passado, como Sócrates e Sêneca, aprendendo com eles a cada dia. Dessa forma, podemos "escapar deste período de tempo breve e fugaz" e mergulhar numa experiência de tempo mais profunda, "ilimitada, sem fim, partilhada com as melhores mentes".[17]

Sêneca acreditava que, tendo acesso às mentes filosóficas do passado, uma pessoa poderia experimentar uma sensação profunda de felicidade até o dia da sua morte. "Ela terá amigos com quem poderá refletir sobre temas maiores e menores, a quem poderá consultar diariamente sobre si, que dirão a verdade sem insultos, oferecerão elogios sem bajulação e darão um exemplo pelo qual moldar o próprio caráter."[18] Como ele observa em outro texto: "Passo meu tempo nas melhores companhias. Não importa onde nem em que época viveram, envio meus pensamentos para desfrutar de sua companhia."[19]

Desse modo, Sêneca oferece a quem o lê uma maneira de valorizar o tempo em sua totalidade, de participar de uma comunidade humana mais ampla e de escapar da servidão de se estar obrigado a viver apenas na época atual. A vida de uma pessoa sábia, escreve ele,

> não está restrita aos mesmos limites que restringem as outras. Só a pessoa sábia está livre das condições da espécie humana, e todas as épocas estão à sua disposição. [...] O tempo passado? Ela o guarda na memória. O tempo presente? Ela faz uso dele. O tempo futuro? Ela o antecipa. Combinar todos os tempos em um só prolonga a vida.
>
> Mas a vida é muito breve e ansiosa para as pessoas que esquecem o passado, negligenciam o presente e temem o futuro. Quando chegam ao fim da vida, infelizes, elas percebem, tarde demais, que estiveram muito tempo ocupadas em não fazer nada.[20]

Com essa perspectiva fora do comum, Sêneca sugere que as pessoas mais felizes não estão simplesmente presas à época presente. Ao contrário, podem vivenciar o verdadeiro valor do tempo, entrelaçando passado, presente e futuro. Aqui, ele não se refere mais ao tempo como um recurso que um dia pode acabar se não o usarmos com sabedoria. Agora passamos da escassez à participação em uma comunidade humana atemporal, inesgotável.

Sêneca nos desafia a descobrir o que é atemporal e valioso na natureza humana e a nos tornarmos pessoas melhores, mais profundas e mais sábias ao longo do processo. Podemos compreender que a alternativa à "preocupação" e à correria em meio ao turbilhão de tarefas é aprender a viver de forma mais profunda. E, para nós, na atualidade, isso não exige se tornar filósofo. Em vez disso, interessar-se por arte, música, arquitetura, ciência, astronomia, história, literatura ou uma tradição espiritual, para citar alguns exemplos, pode ajudar qualquer pessoa contemporânea a viver mais profundamente. Por meio desses interesses, temos a chance de absorver a sabedoria e as realizações dos maiores pensadores do passado, com quem ainda podemos dialogar. Desse modo, nossa vida não está mais limitada à época atual, mas se encontra ampliada e nutrida por uma comunidade atemporal do espírito humano.

CAPÍTULO 3

Como superar a preocupação e a ansiedade

Sofremos com mais frequência na imaginação do que na realidade.

Sêneca, *Cartas* 13.4

TODOS JÁ PASSAMOS POR PREOCUPAÇÕES E ANSIEDADES.

Pouco antes de escrever este capítulo, eu estava sozinho com meu filho pequeno, que está no ensino fundamental. Minha mulher estava viajando, ministrando conferências, então era minha responsabilidade cuidar dele e garantir que chegasse à escola no horário.

De modo geral, nosso convívio foi ótimo, com conversas divertidas e jantares agradáveis, e estreitamos nossos laços de pai e filho. No entanto, em alguns momentos, como quando estávamos saindo de casa e indo para a escola, senti certo pânico ou ansiedade. Não era totalmente irracional, mas uma neurose que a maioria das pessoas desenvolve de vez em quando.

Minha ansiedade se concentrou na ideia de que alguma espécie de fatalidade poderia acontecer, e foi agravada pelo fato de que não sou fluente na língua usada no lugar onde moro, o que dificultaria chamar por ajuda. Embora eu entenda o básico para me virar em situações simples e muitas pessoas aqui em Sarajevo falem inglês, algumas não compreendem nada do meu idioma. Em situações mais complexas, dependo da minha esposa para traduzir, e naquele momento ela não estava por perto.

Então comecei a pensar: *E se...?*

E se eu nos trancar do lado de fora de casa sem chave e sem ninguém para me ajudar? (Algo parecido acontecera alguns meses antes e tivemos que trocar a fechadura da porta da frente.) *E se* eu me envolver em um acidente de carro? (Isso poderia facilmente acontecer, pois o trânsito em Sarajevo é uma loucura.) *E se*, de repente, eu ficar incapacitado a ponto de não conseguir cuidar do meu filho de 7 anos? *E se... e se...?*

Nenhuma dessas preocupações teria sido totalmente irracional, e é assim que se inicia o processo. As pessoas começam a se preocupar com o futuro e com coisas além de seu controle. Começam a pensar: *E se...?* E se as coisas pioram, elas se preocupam com o fato de estarem preocupadas.

Como alguém interessado em psicologia, antes mesmo de a ciência receber esse nome, e na natureza humana, Sêneca estudou atentamente o modo como surgem a preocupação e a ansiedade, e como é possível reduzi-las ou eliminá-las usando técnicas da filosofia estoica.

POR QUE AS PESSOAS SE PREOCUPAM

Para Sêneca, planejar o futuro é um dos dons mais incríveis dos seres humanos. A habilidade de planejar e de criar muitas coisas de valor depende da antecipação, ou seja, ser capaz de imaginar o futuro.

Mas ainda que Sêneca compare a antecipação a um "dom divino", não há nada pior do que se *preocupar* com o futuro (ou com a *possibilidade* de algo acontecer), o que para muitos provoca um quadro psicológico de ansiedade. Quando as pessoas se preocupam nesse nível, é porque transformaram a "antecipação, uma bênção da espécie humana", em fonte de ansiedade.[1]

Ao longo de seus escritos, Sêneca explora precisamente *como* a preocupação e a ansiedade surgem e como eliminá-las ou, pelo menos, como lidar com elas e reduzir sua presença de forma significativa. Ele descreve até os exercícios específicos que seus leitores podem praticar para superar preocupação, medo e ansiedade.

Sêneca explica que existem dois grandes medos que os seres humanos devem superar: o medo da morte e o medo da pobreza (ou o desejo de riqueza). Como são tópicos importantes, exploraremos os conselhos de Sêneca a esse respeito em outra parte do livro. Neste capítulo, vamos analisar uma questão mais geral: como o medo e a ansiedade surgem e como neutralizá-los.

O primeiro ensinamento do estoicismo é puro bom senso: algumas coisas "dependem de nós", ou seja, estão totalmente sob nosso controle, enquanto outras estão fora de nosso controle. Ninguém pode argumentar contra isso. Mas a maneira como os estoicos ampliam essa ideia exige mais reflexões.

O passo seguinte, segundo os estoicos, é entender que todas as coisas externas fora de nosso controle que acontecem conosco não são "ruins", porque são apenas fatos da natureza. No entanto, elas se tornam "ruins" com base em nossos juízos mentais, que produzem reações emocionais. Na verdade, quase todas as emoções negativas se originam de juízos ou opiniões. Hoje, os psicólogos chamam isso de *teoria cognitiva da emoção*, iniciada pelos antigos estoicos.

Essa é uma crença compartilhada por todos os filósofos estoicos. Marco Aurélio a expressou da seguinte maneira: "Livre-se do juízo 'Fui prejudicado', e a sensação de ter sido prejudicado desaparece. Livre-se do 'Fui prejudicado', e você estará livre do dano em si."[2]

Outra maneira de afirmar a ideia central é dizer que, embora não tenhamos controle sobre as coisas externas, temos, *sim*, controle sobre como reagimos a elas. Por exemplo, provavelmente já aconteceu de você estar caminhando sob a chuva por uma avenida movimentada quando um carro acelerado passou por uma poça e espirrou água em você. Embora o banho fosse inevitável, o modo como você reagiu a isso foi uma escolha sua. Você poderia simplesmente ter pensado: "Ah, acabei de levar um banho." Ou poderia ter gritado para o motorista: "Você acabou com meu dia!" Naturalmente, após essa explosão, você deve ter sentido raiva e imaginado como poderia se vingar do motorista.

Para os estoicos, o primeiro pensamento, "Acabei de levar um banho", é uma observação mental objetiva sobre algo além de nosso controle; o segundo, "Você acabou com meu dia", é um juízo ou uma crença que provoca raiva e sofrimento emocional.

Quando nos aborrecemos, geralmente pensamos que estamos reagindo às coisas externas, mas na verdade é uma reação a algo dentro de nós mesmos:

juízos, crenças ou opiniões. E reagimos emocionalmente por causa dos juízos internos que fazemos com frequência. Para Sêneca e os estoicos, em vez de nos irritarmos com fatos do mundo exterior perfeitamente normais e esperados - como ser atingido pela água da poça ou o mau comportamento do motorista -, devemos analisar os juízos interiores que causam esse aborrecimento. Assim, podemos aprender a viver uma vida mais tranquila.

Sêneca percebeu que os seres humanos têm uma imaginação poderosa que molda sentimentos e juízos mentais. Quando o poder de antecipação, que é uma forma de imaginação, é mal utilizado, surgem preocupações, medos e ansiedades que diferem do temor legítimo e racional. Por isso, grande parte da ansiedade está ligada a coisas que *podem* nos acontecer no futuro, como na história (*e se...?*) do início deste capítulo. *E se ela me abandonar? E se eu sofrer um acidente e não puder mais trabalhar? E se eu chegar à idade de me aposentar e não tiver dinheiro suficiente para viver?*

Esses temores podem ser totalmente legítimos e exigir atenção séria e racional, mas transformam-se em fontes de medo e caos interior quando perdemos nossa calma mental. Para Sêneca, o medo é uma forma de servidão e "não há nada pior do que se preocupar com eventos futuros", o que "abala nossa mente com um medo inexplicável".[3] A única maneira de evitar isso, explica ele, é não "se antecipar" mentalmente, mas viver o momento presente e perceber como é completo e perfeito exatamente como é. Como Sêneca afirmou diversas vezes, você só pode ficar ansioso se achar que o momento presente não está satisfatório.

Sempre que o filósofo discute medo ou ansiedade, ele se apressa em mostrar como superar essas preocupações: em vez de "viajar" mentalmente para algum ponto imaginário no futuro, quando algo ruim pode acontecer, e em vez de se preocupar com isso agora, *viva o momento presente.* Marco Aurélio, que leu Sêneca, concordava. Ele escreveu que a única vida que temos de fato acontece no momento presente.[4]

Para Sêneca, preocupar-se com o futuro (ou se arrepender do passado) é um fenômeno puramente psicológico em que as pessoas se entregam às emoções negativas. Segundo ele, como o passado e o futuro estão ausentes e não podemos sentir nenhum deles, só as emoções, as opiniões ou a imaginação podem ser fonte de dor.

Não sei se Mark Twain alguma vez leu Sêneca, mas atribui-se a ele uma ponderação semelhante: "Sou um homem velho e passei por muitos problemas, mas a maioria deles nunca aconteceu." Em outras palavras, os problemas eram imaginários.

Sêneca explica como voltar ao momento presente e também descreve outros remédios para combater a preocupação e a ansiedade. Mas, antes de examiná-los, vamos entender como a preocupação surge.

UMA CASA DE ESPELHOS IMAGINÁRIA

Em seus escritos, Sêneca recorre à imaginação de maneira poderosa. Ele evoca impressionantes descrições de cenários para criar a disposição ou preparar o terreno para o que vai explicar. Embora seja um pensador racional, às vezes ele faz uso da imaginação para apresentar algo de grande beleza, como no seguinte pensamento: "Eu gostaria que a humanidade pudesse vislumbrar a filosofia em toda a sua plenitude, assim ela se revelaria como a glória do céu noturno cheio de estrelas."[5] Como outros filósofos estoicos, Sêneca às vezes propõe um exercício de imaginação ou visualização que pode ser psicologicamente benéfico. Uma dessas práticas, que Marco Aurélio tornou famosa, é chamada hoje de "visão de cima": envolve imaginar-se muito acima de nosso planeta e olhar para a Terra com a percepção de como somos pequenos e como nossos problemas são minúsculos em comparação com o universo.

Sêneca também enaltece o poder imaginativo da antecipação, que nos permite conceber o futuro. Mas apesar da crença positiva no bem que a imaginação provoca, Sêneca reconhece que ela pode assumir formas negativas, dar origem a obsessões humanas e causar preocupações e medos que fogem do controle: "Mesmo quando nada está errado e não há certeza de que dará errado no futuro, a maioria das pessoas se consome em ansiedade."[6]

Quando a imaginação se mistura à emoção crua, cria-se um círculo vicioso em que a imaginação intensifica as emoções, e as emoções, por sua vez, intensificam a imaginação. (A psicologia chama essa experiência em que a pessoa "se sente ansiosa por estar ansiosa" de *metapreocupação* ou *meta-ansiedade.*) Em uma situação como essa, com a imaginação e as emoções intensificando-se mutuamente, todo o sistema pode sair do controle, resultando em ansiedade extrema, ataques de pânico ou outros sintomas psicológicos. Quando a imaginação reflete o medo e o medo reflete a imaginação, podemos nos referir à situação como uma casa de espelhos imaginária, alimentada pela emoção. Embora todo mundo se preocupe ou fique ansioso, quem sofre de ansiedade extrema vive como se sempre estivesse nesse lugar. Como diz Sêneca: "Cada pessoa é tão infeliz quanto imagina ser."[7]

Sêneca não usou a imagem da casa de espelhos, mas a de um labirinto. Segundo ele, a vida feliz está totalmente ao alcance, aqui e agora, no momento presente. Mas, ao buscá-la em outro lugar ou em outras coisas, as pessoas perdem a liberdade da certeza que teriam se estivessem totalmente presentes. Ele compara esse estado a uma corrida por um labirinto, durante a qual você perde a consciência de seu verdadeiro eu: "É o que acontece quando você corre por um labirinto: quanto mais rápido corre, mais perdido fica."[8]

COMO SUPERAR A PREOCUPAÇÃO

Na filosofia de Sêneca, existem várias maneiras de superar a preocupação, e todas são bastante simples. Mas, como o estoicismo envolve treino e é uma filosofia prática, como o budismo, é preciso colocar as soluções em uso para que funcionem.

Uma das primeiras e mais eficazes maneiras de reduzir a preocupação é monitorando seus juízos internos e as emoções que eles provocam *enquanto o processo acontece* e quando você começa a sentir ansiedade. O filósofo estoico Epicteto chamou essa prática de *prosochē*, "atenção plena" ou "mindfulness". Assim que compreendemos como as emoções surgem e aprendemos a monitorar esse processo em tempo real, conseguimos escolher conscientemente seguir o conselho de Sêneca assim que a ansiedade começa a se manifestar: isso envolve trazer de volta para o presente nossa mente que está no futuro e viver plenamente o presente, pois o futuro sequer existe.

Para um estoico como Sêneca, é razoável ter *cautela* em relação ao futuro, mas é um erro *preocupar-se* com algo que talvez nem aconteça. Como ele escreveu a Lucílio: "Meu conselho para você é este: não sofra antes do tempo. As coisas que você teme, como se estivessem agora à sua frente, podem nunca acontecer. Com certeza, ainda não ocorreram."[9] Trata-se de um conselho que Sêneca enfatizou várias vezes ao longo de seus escritos. Marco Aurélio também defendeu essa visão quando escreveu: "Não permita que o futuro o perturbe", já que, quando ele chegar, você o enfrentará com a mesma sensatez com que encara o momento presente.[10]

Em segundo lugar, já que a ansiedade, o medo e o sofrimento psicológico surgem de maus juízos, opiniões falhas ou do uso equivocado da imaginação, Sêneca pede que levemos a cabo uma prática estoica básica: analisar com sabedoria nossos padrões de pensamento a fim de identificar a fonte do sofrimento. Partindo da premissa de que a ansiedade surge de crenças falhas, se as analisarmos racionalmente e as desmontarmos, também conseguiremos curar a angústia. Como afirma Sêneca: "Concordamos muito depressa com uma opinião. Não testamos esses pensamentos que nos levam ao medo, nem temos o cuidado de questioná-los. [...] Então, vamos analisar as coisas cuidadosamente."[11] A psicologia cognitiva contemporânea chama esse tipo de investigação de *questionamento socrático*, outro momento em que tiram o chapéu para a filosofia antiga.

Albert Ellis, um dos fundadores da terapia cognitivo-comportamental (TCC), estudou a filosofia estoica. Quando começava a trabalhar com novos clientes, dava a eles uma cópia desta famosa máxima estoica: "Não são as coisas que nos perturbam, e sim nossas crenças em relação a elas."[12] Esse é, em essência, o pensamento central, fundamental, por trás de todo o campo da terapia cognitiva. Ellis usou um esquema simplificado, conhecido também como "Teoria do ABC emocional", baseado na filosofia estoica (veja a Figura 2).

Primeiro, em *A*, ocorre uma *ativação*. Depois, em *B* (de *belief*, no inglês), há uma *crença*, opinião ou juízo. Por fim, em *C*, as *consequências*, que geralmente são o resultado emocional da crença em questão.

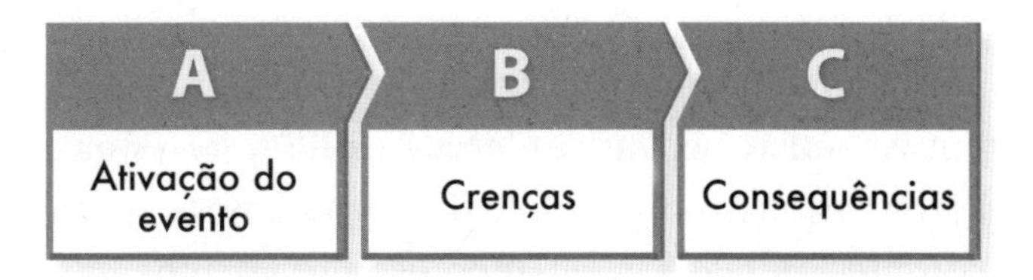

Figura 2: A "Teoria do ABC emocional",
de Albert Ellis, foi baseada na ideia do estoicismo
de que "não são as coisas que nos perturbam,
e sim nossas crenças em relação a elas".

Se um carro espirra água da poça num dia chuvoso e você apenas faz a constatação de que levou um banho, a principal consequência é se sentir um pouco molhado. Mas, se você acredita que seu dia acabou por causa disso – o mesmo que dizer "Fui prejudicado" –, a provável consequência é uma raiva extrema. Portanto, percebemos que são as nossas crenças não examinadas, muitas vezes irracionais, que causam reações emocionais. Felizmente, é possível compreender melhor essas crenças falhas e até eliminá-las, analisando-as com a prática do questionamento socrático, seja sozinho ou com a ajuda de alguém que atue como terapeuta ou preceptor.

Quase 20% das pessoas nos Estados Unidos sofrem de transtornos de ansiedade. Porém, muitos indivíduos que estudam o estoicismo e usam as técnicas estoicas de atenção plena relataram declínios significativos na vivência de emoções negativas como ansiedade e raiva.

É fascinante ver como a terapia cognitiva foi influenciada pelo estoicismo, especialmente porque algumas das cartas de Sêneca a Lucílio parecem sessões de psicoterapia. Sêneca conhecia Lucílio bem o suficiente para compreender o que significavam muitas das crenças subjacentes do amigo, e é instrutivo vê-lo questionar suas suposições. Também é impressionante ver Sêneca explicando como outras crenças podem levar a resultados mais felizes. Esse é o processo que seria usado por terapeutas cognitivos hoje.

Desse modo, o estoicismo foi um precursor da terapia cognitivo-comportamental contemporânea, e fundadores da TCC, como Albert Ellis e Aaron T. Beck, recorreram diretamente aos ensinamentos estoicos para desenvolver seus métodos terapêuticos modernos. No primeiro grande manual sobre terapia cognitiva, Beck afirmou: "As origens filosóficas da terapia cognitiva podem ser rastreadas até os filósofos estoicos."[13] Como mostram tanto o estoicismo quanto a TCC, podemos reduzir bastante a ansiedade compreendendo e desafiando os pensamentos, as crenças e as atitudes distorcidas que causam sofrimento. Essa terapia cognitiva "das paixões", que se originou com os estoicos, teve sua eficácia cientificamente comprovada na resolução de muitos distúrbios psicológicos. Por exemplo, a TCC é a linha mais estudada de psicoterapia e é o "padrão-ouro" do tratamento da ansiedade. Em alguns estudos, a TCC ajudou 75% a 80% dos pacientes a se recuperarem de diferentes tipos de ansiedade, incluindo ataques de pânico.

Outra abordagem de Sêneca também usada na TCC consiste em diminuir o nível de nossas emoções, especialmente aquelas relacionadas com o futuro. Na carta 5, Sêneca escreve: "Limitar o desejo ajuda a curar os medos." Ele então cita uma frase do filósofo estoico Hecato: "Deixe de ter esperanças e você deixará de temer."[14]

Sêneca explica que esperança e medo andam juntos porque são emoções ativadas por nossa imaginação sobre o futuro: "Ambos vêm de uma mente que está tensa, preocupada em antecipar o que está por vir. A maior causa de ambos é que não nos dedicamos ao presente, mas projetamos nossos pensamentos no futuro."[15]

Embora muitas de nossas cautelas em relação ao futuro possam parecer razoáveis, Sêneca ensinou que devemos analisar cuidadosamente cada uma delas. Dessa forma, podemos reagir a elas de modo ponderado, e não de maneira a causar sofrimento emocional. Por exemplo, Sêneca observou que as pessoas têm um medo irracional da morte, embora a morte faça parte da vida. Como é algo natural e que todos deveriam aguardar, considerar a morte terrível é um erro cognitivo. Mais tarde, o estoico Epicteto concordou:

> Não são as coisas em si que perturbam as pessoas, mas as crenças que elas têm sobre as coisas. A morte, por exemplo, não é nada assustadora, ou Sócrates também a veria assim. O medo surge *da opinião* de que a morte é assustadora. Portanto, sempre que

nos sentirmos frustrados, perturbados ou contrariados, nunca devemos culpar ninguém, apenas nós mesmos – isto é, nossas próprias opiniões.[16]

Por fim, embora não acreditassem na existência de infortúnios *reais*, os estoicos entendiam muito bem como as coisas podem ser *sentidas* como infortúnios em função de nossos juízos ou crenças. Além disso, como Sêneca observou, não é possível simplesmente evitar o choque emocional diante de certos acontecimentos. Essas reações são naturais, instintivas, e não baseadas em opiniões. Mas, mesmo nesses casos, é possível reduzir o impacto psicológico e evitar que esses choques emocionais se transformem em algo mais grave.

Para certas condições, como o medo da pobreza, Sêneca recomendava exercícios específicos para reduzir ou eliminar o impacto do medo sobre nós e nos preparar para a sensação de infortúnio ou sofrimento emocional. Vamos analisar alguns desses exercícios mais adiante. Na realidade, Sêneca frequentemente recomenda que consideremos com antecedência todas as adversidades que podem nos atingir. Assim, se ocorrer uma fatalidade, estaremos mentalmente preparados e o golpe do infortúnio será menor. Mas, para Sêneca, antecipar ou mesmo ensaiar possíveis adversidades não é uma forma de preocupação ou medo. É uma maneira de refletir, de modo tranquilo e racional, sobre as coisas que *podem* acontecer, eliminando o impacto emocional dos infortúnios futuros, *caso* aconteçam. (Isso também se assemelha a uma técnica usada pela psicologia atual.)

Embora esse processo exija consciência e prática, quando o sentimento de preocupação com o futuro surge pela primeira vez, podemos questioná-lo, analisá-lo e decidir conscientemente voltar a viver no momento presente. Mas viver no agora é não apenas uma solução psicológica para Sêneca, como também um dos elementos-chave para uma vida humana completa.

ESTAR NO MOMENTO PRESENTE

O presente por si só não faz ninguém infeliz.

Sêneca, *Cartas* 5.9

Você quer saber por que as pessoas são ávidas pelo futuro? Porque ninguém se encontrou ainda.

Sêneca, *Cartas* 32.4

Quando você vive no momento presente, é porque finalmente se encontrou e está vivendo de acordo com quem realmente é, seu centro, seu eu mais essencial.

A ideia de viver de acordo com o próprio centro e de estar presente neste exato momento, sem desejar estados futuros ou coisas externas, é uma das chaves para alcançar a felicidade ou a alegria estoica. Quando estamos totalmente presentes e vivemos de acordo com nosso eu interior, experimentamos sentimentos de radiância, alegria e plenitude. Para ilustrar, a alma começa a brilhar como o sol e, enquanto pudermos preservar essa sensação de presença e autossuficiência, o sol continuará brilhando. Isso não significa que não haverá perturbações externas, mas elas serão como nuvens flutuando abaixo da superfície serena e radiante do sol. Essas nuvens flutuam, mas não alteram nem perturbam o sol ou sua luz.

Essa metáfora do sol e das nuvens aparece em duas cartas de Sêneca, e em ambas o sol e sua luz representam bondade, virtude e alegria duradouras: quaisquer adversidades ou ansiedades que estivermos vivendo, escreve ele, "não têm poder maior do que o de uma nuvem diante do sol".[17] Da mesma forma, quando experimentamos a alegria verdadeira, "mesmo que algo a encubra", é apenas como uma nuvem, "que passa e nunca supera a luz do dia".[18]

Essa imagem simbólica, que considero poderosa, me oferece um modo de avaliar meu estado mental ou psicológico a qualquer momento. Será que tenho a serenidade interior do sol, que brilha no momento presente enquanto as perturbações externas são como nuvens inofensivas que atravessam o caminho? Será que estou vivendo a alegria de estar presente, sem distrações, com o foco mental correto, sem me preocupar com algum acontecimento futuro imaginário que pode nem acontecer?

Se meu estado interior não é de foco, luz e alegria, posso me lembrar da imagem do sol de Sêneca, me identificar com ela. Assim, é fácil retornar à radiância do momento presente.

Em última análise, essa "alegria plena e duradoura" sobre a qual Sêneca fala usando o sol como símbolo é um subproduto da prática estoica, e estar totalmente presente é uma forma inequívoca de vislumbrá-lo. Mas a melhor forma de torná-lo um estado contínuo – ou o mais constante possível, já que ninguém é perfeito – é por meio do desenvolvimento da virtude, do caráter interior e da prática da atenção plena que caracteriza o estoicismo. Isso permite à pessoa experimentar a tranquilidade mental, apesar dos problemas que a vida coloca em nosso caminho.

CAPÍTULO 4

O problema da raiva

UMA INSANIDADE TEMPORÁRIA

Detesto admitir isso, mas, assim como Sêneca, não sou uma pessoa perfeita. Uma das minhas falhas de caráter é que já tive um péssimo temperamento. Não que eu vivesse com raiva, mas de tempos em tempos algo me fazia explodir.

O bom é que hoje raramente fico com raiva, o que atribuo a meus estudos sobre estoicismo, especialmente a Sêneca, que analisou profundamente esse sentimento em seus escritos.

Para os estoicos, a raiva (a que eles se referiam como ira) era a pior e a mais tóxica das emoções negativas extremas, que eles chamavam de "paixões" (*pathē*). Na verdade, em uma das descrições mais memoráveis de Sêneca, ele chamou a raiva de "uma forma temporária de insanidade".[1]

Por que a raiva é tão terrível e destrutiva, e como ela surge? E, mais importante, como podemos impedi-la de fixar suas raízes?

Sêneca é o guia perfeito para responder a essas perguntas. Ele levou a questão da raiva tão a sério que escreveu um extenso livro, *Sobre a ira*, dividido em três partes. É uma das mais profundas obras de psicologia estoica do mundo antigo a chegar até nós, e seus conselhos sobre como controlar a raiva são bastante atuais. Na verdade, como observa o filósofo estoico contemporâneo Massimo Pigliucci, grande parte do que você lê no site da Associação Americana de Psicologia (APA, na sigla em inglês) sobre como controlar a raiva coincide com os conselhos que você encontra no livro de Sêneca.[2] Ao que parece, algumas coisas nunca mudam.

Quando Sêneca afirmou que a raiva extrema é "uma forma temporária de insanidade", não estava usando uma metáfora. Na verdade, ele quis enfatizar para o público leitor *como* os seres humanos agem de modo irracional, como pessoas enlouquecidas, quando estão sob o efeito da raiva.

No início de *Sobre a ira*, ele diz: "Basta observar os sintomas das pessoas dominadas pela raiva para perceber que elas estão insanas." Então ele apresenta uma descrição vívida e convincente para provar seu argumento:

> Assim como os sinais de que um homem está louco são claros – uma expressão audaciosa e ameaçadora, selvagem, a testa franzida, passos apressados, mãos inquietas, o aspecto geral transformado, respiração rápida e violenta –, isso acontece com a aparência de alguém com raiva: os olhos queimam e fuzilam, o rosto fica vermelho com o sangue que ferve no fundo do coração, os lábios tremem e os dentes ficam cerrados, os pelos se eriçam, a respiração é áspera e ruidosa, as articulações se retorcem e estalam, a pessoa geme e grita, o discurso é entrecortado e confuso, ela bate as mãos e os pés, e o corpo inteiro se mostra frenético enquanto ela extravasa suas ameaças raivosas. O espetáculo é tão feio e assustador que, quando alguém se contorce e se inflama de raiva, você não consegue dizer se esse vício é mais asqueroso ou mais desfigurante.[3]

O resultado da raiva intensa é a loucura, escreve Sêneca, e devemos evitá-la para manter nossa sanidade. Em outro texto, ele pergunta: se a expressão exterior de uma pessoa furiosa é tão terrível, como deve ser sua mente?

Sêneca relata que as pessoas que sentem uma raiva exagerada nunca recuperam a sanidade. Ele se refere à raiva como "o mal maior" e "o vício que supera todos os outros".[4] Enquanto o medo, a ganância e a inveja apenas "provocam" a mente, a raiva a "destrói".[5] Enquanto os outros vícios se rebelam contra a razão, a raiva mina a própria sanidade. Enquanto outros defeitos de caráter "chegam sorrateiramente e crescem sem serem percebidos, nossa mente mergulha de cabeça na raiva".[6]

UM FOGO HOSTIL: OS EFEITOS DEVASTADORES DA RAIVA

A raiva é bastante prejudicial para o infeliz que se deixa enfeitiçar por ela, mas pode ser ainda pior para quem é alvo desse sentimento. Sêneca nos convida a considerar estes efeitos destrutivos:

> Se você quiser observar os efeitos nocivos da raiva, nenhuma praga custou mais à espécie humana. Você verá massacres e envenenamentos, a sordidez de rivais se enfrentando em um tribunal, a ruína de cidades e a destruição de nações inteiras. Você verá cidadãos importantes vendidos como escravos em leilões públicos. Verá casas incendiadas, as chamas ultrapassando as muralhas das cidades, levando vastas regiões a queimarem sob um fogo hostil.[7]

E isso não é tudo. A raiva faz com que alguns pais ameacem seus filhos com a morte ou vice-versa; destrói lares, lançando pessoas na miséria, transformando amigos em inimigos. A raiva é o pior vício, porque supera todos os outros. Com isso, Sêneca quer dizer que, da mesma maneira que a raiva domina a mente, ela também predomina sobre outros vícios. Quando alguém está realmente sob o efeito da raiva extrema, esse sentimento reina soberano.[8]

A raiva nasce de um juízo mental do tipo "fui prejudicado" ou "sofri uma injustiça" e, assim que essa opinião é totalmente aceita, busca-se a vingança ou a retaliação como forma de "devolver" a injustiça. "O fato de a raiva encontrar espaço no coração pacífico de um ser humano", escreve Sêneca, "está em desacordo com a nossa natureza. Pois a vida humana se baseia na gentileza, na harmonia, e é vinculada ao consenso e à colaboração, não por medo, mas por amor recíproco".[9]

Para Sêneca, a raiva é a pior emoção humana, acima de todas as outras. Mas por quê?

"O problema da raiva", escreve Sêneca, "é que ela se recusa a ser controlada. Ela se lança com fúria contra a própria verdade, se a verdade parece contradizer sua sanha. Com gritos, frenética, o corpo todo estremecendo, ela ataca suas vítimas com maus-tratos e ofensas".[10]

Quando se está com raiva, pergunta ele, qual é o sentido de virar uma mesa ou quebrar um copo? Mais estranho ainda é o modo como as pessoas às vezes expressam raiva de objetos inanimados. Se uma ferramenta não funciona bem, para que jogá-la no chão ou xingar, uma vez que ela sequer consegue perceber a raiva da pessoa?

Por nunca ter realmente pensado a esse respeito, a maioria de nós supõe que a raiva é, de alguma maneira, uma emoção natural e inevitável. Por isso, escreve Sêneca, há pessoas que acreditam que é bom demonstrar sua raiva em público, pois isso revela como são "abertas" e autênticas, e que não tentam esconder nenhum aspecto de sua personalidade.

Os estoicos, porém, tinham uma visão totalmente diferente. Eles acreditavam que a raiva extrema podia ser evitada e ter seu desenvolvimento impedido. Considerando que a raiva intensa tem como base juízos mentais equivocados, a pessoa sábia poderia evitá-los por meio de treino e prática.

"SENTIMENTOS" *VERSUS* "PAIXÕES": A TEORIA ESTOICA DAS EMOÇÕES

Em primeiro lugar, como será que a raiva, ou qualquer outra emoção extrema, surge?

De acordo com os estoicos, se tivéssemos a resposta para essa pergunta, seria possível eliminar as emoções negativas antes que elas se desenvolvessem. É claro que ninguém disse que seria fácil. Podem ser necessários longos períodos de educação e treino, além do desenvolvimento de uma autoconsciência considerável. Mas, em minha experiência, aprender sobre a teoria estoica das emoções pode ajudar bastante na redução da raiva e de outras emoções negativas, além de melhorar o humor geral.

Na verdade, logo depois de ler *Sobre a ira* há alguns anos, me vi em uma situação em que poderia ter ficado com muita raiva e senti os primeiros sinais de que iria explodir. Mas, antes que a raiva tivesse chance de se desenvolver, lembrei-me do que Sêneca escreveu e fui capaz de desconstruir a emoção antes que ela assumisse o controle.

Como vimos, uma percepção equivocada sobre os estoicos é a de que eles não têm sentimentos ou de que refreiam as emoções. Isso é falso. Sêneca observou sistematicamente que mesmo um sábio estoico terá sentimentos humanos comuns. Como todo mundo, o sábio não se assemelha a "uma espécie de rocha". Ele ou ela experimentará dor, tristeza e outros sentimentos.[11] Epicteto disse algo semelhante: um estoico não deve ser "insensível como uma estátua".[12] Marco Aurélio escreveu sobre o amor e até chorou em público. A escola estoica era conhecida pelo amor que seus membros dedicavam à humanidade. Como Sêneca registrou: "Nenhuma escola é mais gentil e generosa, nenhuma é mais plena de amor pela humanidade e mais preocupada com o bem comum."[13]

Para os estoicos, os sentimentos humanos primordiais são a afeição e o amor pelos outros. Os pais naturalmente sentem amor por seus filhos, e o afeto humano mantém pessoas e comunidades unidas. Mas, para compreender como a raiva surge e como vencê-la, precisamos entender os três tipos de emoções definidos pelos estoicos, além do amor:

1. **Sentimentos.** O primeiro tipo de emoção, conhecido como "sentimentos iniciais" ou "protopaixões" (*propatheiai*, em grego), é vivenciado por todos, até pelo sábio estoico, e inclui reações espontâneas, instintivas. Elas englobam corar, ter desejo sexual, assustar-se quando alguém aparece de repente, ter medo de falar em público, mudar a expressão facial diante de um acontecimento triste e assim por diante. Neste livro, vamos nos referir a esse tipo de emoção como *sentimentos* ou *sentimentos humanos naturais*. É importante perceber que esses sentimentos são involuntários, e aparecem e desaparecem sozinhos. Além disso, são moralmente indiferentes. Como estão além de nosso controle, eles não têm impacto positivo ou negativo em nosso caráter.

2. **Emoções negativas.** Outro grupo de emoções que os sentimentos iniciais podem ajudar a despertar ficou conhecido como "paixões" (*pathē*). São as emoções negativas como raiva, medo, ganância, inveja etc. Neste livro, refiro-me a elas como *emoções negativas*, *emoções negativas extremas* ou *emoções não saudáveis*. Essas emoções negativas se originam de juízos mentais equivocados ou falsos e, por se basearem em falsas crenças, são prejudiciais ao nosso caráter. Em outras palavras, são vícios.

3. **Emoções boas.** O terceiro e último grupo de emoções são as "paixões boas" (*eupatheiai*, em grego). Neste livro, vamos nos referir a elas como *emoções boas*, *emoções saudáveis* ou *emoções positivas*. Elas incluem alegria, entusiasmo, sociabilidade, boa vontade e formas de amizade e amor. Assim como as emoções negativas, as emoções positivas são baseadas em julgamentos mentais, que aqui são racionais. E, como você pode imaginar, não são indiferentes ou ruins, mas *boas* para nossa personalidade e nosso caráter.

É isto: para os estoicos, os *sentimentos* são apenas sentimentos, não são bons nem ruins, e todas as pessoas os têm. As *emoções saudáveis* são boas e se baseiam em juízos sólidos, corretos. Para os estoicos, os verdadeiros inimigos são as *emoções negativas extremas* ou paixões, que se baseiam em opiniões falsas e prejudiciais ao caráter da pessoa. Sêneca praticamente resumiu a visão estoica sobre as emoções negativas quando escreveu: "Qualquer pessoa submissa a uma paixão vive sob o domínio de um tirano."[14]

Se você vive sob a tirania de uma emoção negativa, nunca tem paz de espírito, porque sua mente não está sob seu controle, e sim sob o controle de opiniões ou juízos falsos, que o levarão a agir de modo prejudicial e autodestrutivo. Quando Sêneca diz que "a raiva é uma forma temporária de loucura", isso é algo que se aplica a *todas* as paixões ou emoções negativas extremas. Nas palavras do estudioso do estoicismo John Sellars, elas são como "transtornos mentais menores" que assumem o controle da nossa mente. Só que a raiva é a mais poderosa.[15]

O que significa dizer que uma paixão é baseada em um juízo? Vejamos o exemplo da *ganância*. Para um estoico, o ganancioso concorda com o juízo de que ter muito dinheiro não é apenas uma vantagem, mas também é *essencial* para a felicidade humana. Em última análise, isso se baseia em uma crença social generalizada, como muitas outras opiniões falsas, que são "erros profundamente arraigados sobre o valor dos objetos externos".[16] É importante destacar que os estoicos estavam entre os primeiros pensadores a explorar profundamente os efeitos adversos do condicionamento social em nosso desenvolvimento interior.

Como um experimento mental, vamos imaginar que meu amigo Mike caminhava pela cidade um dia e viu uma mulher linda do outro lado da rua. Mike talvez pensasse: "Ah, ela é linda!" Talvez sentisse o coração um pouco mais terno, mas continuaria andando e logo se esqueceria dela. Para os estoicos, isso seria apenas um *sentimento* normal e nada mais. No entanto, se Mike visse a linda mulher e ficasse obcecado, pensando que nunca seria feliz sem ela, isso seria o início de uma paixão extrema, ou emoção negativa, porque não mais se basearia apenas em um sentimento, mas em um juízo falso e potencialmente prejudicial.

CHEGAMOS ASSIM AO PONTO em que podemos compreender como a raiva e outras emoções negativas surgem.

Sêneca não foi, de forma alguma, o primeiro estoico a escrever sobre esse processo, mas é nossa fonte mais importante, uma vez que os escritos anteriores se perderam.[17]

A raiva em si, como diz Sêneca, se baseia em dois juízos mentais. O primeiro é "fui prejudicado" ou "alguém me tratou de forma injusta" e o segundo é "se fui prejudicado, devo buscar retaliação ou vingança". Caso esses dois juízos se combinem, o resultado provavelmente será uma manifestação de raiva extrema.

Sêneca oferece alguns detalhes sobre como surge a raiva extrema, seguindo um processo de três passos, que reflete a "Teoria do ABC emocional", já discutida no Capítulo 3:

A. No primeiro passo ou movimento, há um processo involuntário ou um sentimento natural e instintivo. Esse sentimento natural é uma protopaixão e uma espécie de alerta de que algo pior pode estar a caminho. Sêneca chama de primeiro movimento essa sensação crua de "agitação". Ainda não é uma paixão, mas uma impressão ou sentimento que pode se transformar em paixão. No caso da raiva, as duas impressões involuntárias que nos vêm à mente são "*Sinto* que fui prejudicado", "*Sinto* que devo me vingar".

B. No segundo passo ou movimento, o juízo mental aparece: "*Fui* prejudicado e *mereço* me vingar."

C. No terceiro passo ou movimento, alguém aprovou o juízo e é uma grande confusão, porque a razão foi subvertida ou suplantada: a raiva explode e assume o comando, e a vingança se torna um objetivo. Nesse ponto, é tarde demais para retroceder, pois a mente já "caiu do precipício" e está fora de controle. É o início da insanidade temporária.[18]

COMO CURAR A RAIVA

Se analisamos o processo de três passos pelo qual a raiva surge, fica claro que a única maneira de deter essa emoção negativa se dá nos dois primeiros estágios. Quando o terceiro estágio é alcançado, é tarde demais. O que torna difícil o controle da raiva é que esses três movimentos podem ocorrer muito depressa – às vezes em um piscar de olhos. Se você estudar cuidadosamente a explicação de Sêneca sobre os três passos e compará-la com suas próprias experiências com a raiva, creio que perceberá que ele está correto a respeito do processo. Mas na vida real os três passos acontecem tão rápido que muitas vezes parecem uma coisa só.

Por isso, o mais importante é conseguirmos desacelerar o processo no início, na primeira sensação de que a raiva pode estar surgindo. Os primeiros movimentos da raiva, explica Sêneca, não podem ser controlados pela razão por serem sentimentos instintivos. No entanto, "a prática e a vigilância constante vão enfraquecê-los".[19]

Assim que o segundo passo é alcançado, o juízo ou deliberação é ativado, que é a racionalidade em ação; como observa Sêneca, somente o poder da racionalidade ou um bom juízo pode apagar um mau juízo.

Sêneca afirma que a ferramenta mais poderosa para derrotar a raiva é o *adiamento*, ou seja, desacelerar todo o processo de três passos. Isso nos dá tempo para intervir e analisar racionalmente qualquer juízo errado:

> A melhor cura para a raiva é o adiamento. Peça isso da raiva desde o princípio, não para que perdoe, mas para que analise. Embora seus primeiros ataques sejam fortes, ela vai retroceder se for forçada

> a esperar. Mas não tente destruir a raiva de uma vez. Se eliminada pouco a pouco, ela será derrotada.[20]

Ele também afirma:

> A raiva surge da crença de que você sofreu uma injustiça, o que não se deve aceitar de forma leviana, segundo o que parece em um primeiro momento. Você deve adiar o juízo mesmo que seja claro e evidente, porque algumas coisas falsas parecem verdadeiras. Devemos sempre deixar passar algum tempo; o tempo revelará a verdade.[21]

Desde o início, a escola estoica enfatizou a importância de analisar as "impressões" que surgem em nossas mentes. Como disse Sêneca no trecho anterior, os estoicos nos advertiram para que não fizéssemos juízos precipitados, porque as impressões podem enganar. Na verdade, Epicteto afirmou que "colocar as impressões à prova é a tarefa mais importante do filósofo, e nenhuma impressão deve ser aceita a menos que tenha sido cuidadosamente testada".[22]

O modo como o estoico pode impedir que a raiva se torne uma emoção negativa e explosiva é perfeitamente resumido em uma observação atribuída ao psicólogo Viktor Frankl: "Entre estímulo e resposta há um espaço. Nesse espaço reside nosso poder de escolher nossa resposta. Em nossas respostas residem nosso crescimento e nossa liberdade."

Embora Viktor Frankl na verdade não tenha dito isso e a citação pareça se basear em um trecho do psicólogo Rollo May, os estoicos teriam endossado essas afirmações. O trecho original de Rollo May diz:

> A liberdade humana envolve nossa capacidade de fazer uma pausa entre estímulo e resposta e, nessa pausa, escolher a resposta exata na qual desejamos colocar nossa força. A capacidade de criar a nós mesmos, baseada nessa liberdade, é inseparável da consciência ou autoconsciência.[23]

É por isso que Sêneca afirma que a melhor cura para a raiva é o adiamento. Em termos estoicos, um "estímulo" é uma "impressão". Precisamos fazer uma pausa, colocar cuidadosamente as impressões à prova e decidir ou "escolher" se devem ser aceitas.

É importante destacar que, para Sêneca e os estoicos, uma emoção extrema e negativa não pode surgir sem que antes a mente concorde com uma impressão e depois aceite um falso juízo mental. Ao fazer essa pausa, é possível tanto questionar as impressões quanto contestar o juízo mental ou a crença antes de aceitá-los. Segundo a psicologia estoica, essa é a melhor maneira de conter a raiva, pois, como observa Sêneca, a raiva "só age com a aprovação da mente".[24] Enfim, a raiva pode surgir apenas quando decidimos que ela é justificada.

Felizmente, os primeiros sentimentos de raiva são claros alertas de perigo, assim como os sintomas de uma doença e os sinais que precedem uma tempestade. Sêneca aconselha:

> A melhor abordagem é rejeitar as primeiras provocações da raiva assim que surgem, resistir a ela ainda no início e se esforçar para não ceder. Pois se a raiva começa a nos desviar do curso, o caminho de volta à segurança é íngreme, já que a razão evapora assim que permitimos que a raiva chegue e que decidimos dar a ela algum poder. Então, ela fará o que quiser – não o que permitirmos que faça. O inimigo, afirmo, deve ser mantido longe dos portões da cidade desde o início: pois assim que a invadir, vai ignorar qualquer apelo das pessoas que aprisionou para que se afaste.[25]

Como ele observa em uma carta: "Toda emoção negativa é fraca no início. No entanto, ela desperta e aumenta sua força à medida que avança. É mais fácil impedir que ela nos invada no começo do que expulsá-la depois."[26] Se permanecemos estritamente nos limites da teoria estoica das emoções, duas técnicas fundamentais de controle da raiva se destacam:

1. *Recue um passo.* A melhor maneira de deter a raiva logo de início seria notar os primeiros sentimentos ou impressões de "ter sofrido uma injustiça" e então fazer uma pausa, dar um tempo e permitir que reduzam a intensidade, sem ceder a eles. A APA também recomenda essa técnica.

A psicologia chama isso de *distanciamento cognitivo*, que pode assumir várias formas.

Há muito tempo tive uma namorada que usava essa técnica, o que era bom, porque ela era uma atleta de alto rendimento no quinto grau da faixa preta em caratê. Embora não fosse alta, era uma artista marcial extraordinariamente musculosa e forte. Sem exageros, ela poderia matar qualquer um com as próprias mãos.

Certo dia, estávamos juntos em casa, e eu disse alguma coisa que a deixou com raiva. Naquele momento ela me explicou, calmamente e sem emoção: "Me desculpe, David, mas preciso sair por algumas horas e me acalmar, porque, se eu perder a paciência, você corre um grande risco físico. Eu poderia matar você." Como verdadeira profissional, ela havia treinado para um momento como aquele e falou sem qualquer sinal de raiva, embora sentisse que algo havia começado a ferver dentro de si.

É claro que fiquei agradecido por ela possuir essa autoconsciência incrível e não me matar. Quando ela voltou, o problema tinha passado. Ela estava calma como sempre. Essa foi a única vez que algo assim aconteceu entre nós, talvez porque me serviu de alerta!

2. *Reestruture suas crenças.* Se a sensação de raiva só aumentar e ultrapassar o estágio inicial, é hora de questionar seus juízos e crenças antes de concluir que a vingança é justificável. Essa é outra maneira de recuar antes que um juízo final seja feito. Mais uma vez, a APA recomenda essa técnica, e até roubei o título deste item do site da associação para mostrar como as descobertas psicológicas de Sêneca são atemporais.

Como vimos, o último passo antes de a raiva verdadeira explodir é julgar que "foi prejudicado, por isso a vingança se justifica". Nesse momento, você deve fazer uso do pensamento crítico para evitar que esse juízo assuma o controle e para destruir, se possível, uma crença falsa. Sob o título "Reestruturação cognitiva", a APA afirma:

> A lógica vence a raiva, pois a raiva, mesmo quando justificada, pode se tornar irracional muito depressa. Por isso, aplique a lógica pura e fria a si mesmo. Lembre-se de que o mundo não "está

> perseguindo você", são apenas algumas dificuldades da vida cotidiana que você está enfrentando. Faça isso todas as vezes que sentir que a raiva suga o que você tem de melhor, e isso o ajudará a ter uma perspectiva mais equilibrada. Quando estão com raiva, as pessoas tendem a exigir coisas: justiça, valorização, consentimento, disposição para que tudo seja feito do jeito delas. São coisas que todos desejam e fazem todos ficarem ressentidos ou decepcionados quando não conseguem alcançá-las, mas quem está com raiva as exige e, quando as exigências não são atendidas, a decepção se transforma em raiva.[27]

Bom trabalho, APA! Falou como um verdadeiro estoico – exceto pela sugestão de que a raiva às vezes pode ser "justificada", o que Sêneca contestava vigorosamente. Na verdade, Sêneca e os outros estoicos defendiam que uma pessoa sábia nunca poderia ser prejudicada por algo banal. Nas palavras de Epicteto: "Ninguém vai prejudicar você sem seu consentimento; você só será prejudicado quando achar que está sendo prejudicado."[28] Ou, como disse Marco Aurélio: "Abandone o juízo e você estará salvo. Quem, então, está impedindo você de abandoná-lo?"[29] As duas citações são úteis quando se trata de superar a crença de que você foi prejudicado.

Outra forma de reestruturar essa crença é o humor. Já que muito do que deixa as pessoas com raiva é totalmente insignificante no grande esquema das coisas, não há mal nenhum em rir de algo banal ou em fazer uma piada. Certo dia, quando Sócrates estava andando na rua, alguém o atingiu na cabeça. A única resposta dele foi o seguinte comentário: "É uma pena que, nos dias de hoje, você não saiba quando vai precisar de um capacete ao sair para caminhar."

ALÉM DESSAS DUAS TÉCNICAS principais, Sêneca menciona muitas outras práticas para evitar a raiva. Se você estiver interessado em aprender mais a esse respeito, recomendo a leitura do livro *Sobre a ira*. A seguir, menciono alguns dos métodos sobre os quais ele escreve em detalhes:

- Perceba que as pessoas muitas vezes não têm ideia do que estão fazendo e cometem erros, portanto não leve essas ações tão a sério.
- Aja com generosidade, com pensamentos elevados, superando a sensação de que banalidades prejudicam você. Olhe para elas com desprezo, como se não merecessem sua atenção.
- Observe cuidadosamente como a raiva é feia e perigosa. Isso servirá para desencorajá-lo de sentir raiva. (Por isso Sêneca apresentou descrições vívidas de como a raiva é feia.)
- Aproxime-se de pessoas amigáveis, que provavelmente não vão provocar sua raiva. Pessoas com falhas de caráter são muito mais propensas a nos irritar e a nos influenciar negativamente.
- Não se permita chegar ao esgotamento físico ou mental, que estimula a irritação e a raiva.
- Quando se sentir estressado, pense em fazer algo relaxante para acalmar a mente, como ouvir música.
- Como cada pessoa é diferente, compreenda a si mesmo e saiba o que tende a incitar sua raiva. Ao compreender quais são seus pontos fracos, não os exponha a situações que podem irritar você.
- Não há necessidade de ouvir e ver tudo o que acontece. Você pode evitar muitas coisas irritantes simplesmente se não as absorver. (Esse conselho é especialmente valioso na era da internet!)
- Não alimente falsas suspeitas ou não exagere em questões triviais.
- Perdoe os outros e até a humanidade como um todo, porque você também não é perfeito – as falhas que vemos nos outros também existem dentro de nós.
- Lembre-se de que, se alguém começa a provocar sua raiva, você pode esperar um pouco: um dia, a morte igualará a todos nós. Por isso, em vez de ficar com raiva, é melhor se concentrar em coisas mais importantes.

JUSTIÇA SEM RAIVA

Nos dias de hoje, em que está na moda extravasar toda a indignação nas redes sociais, algumas pessoas podem ficar chocadas com o fato de que

Sêneca acreditava que a raiva extrema *nunca* se justifica, pois nada de bom pode vir dela.

Aristóteles acreditava que uma quantidade moderada de raiva era desejável, desde que controlada, pelo modo como o sentimento encoraja os soldados a lutar e pelo modo como ela pode estimular a ação humana. No entanto, Sêneca demoliu essa visão ao observar que a verdadeira raiva, ou ira, é um vício que nunca pode ser moderado. Além disso, a raiva mina nossa racionalidade e, portanto, nossa habilidade de agir como seres humanos autênticos. Mas o golpe final de Sêneca – contra a ideia de que a raiva pode intensificar o rendimento dos soldados – veio em forma de pergunta: se a raiva pode ajudar soldados a lutar com mais eficiência, questionou ele, por que não fazer com que fiquem bêbados, para que possam manejar suas armas com mais agressividade? Caso encerrado, pelo menos em minha opinião.

Sêneca tinha plena consciência de que nosso mundo é cheio de injustiças terríveis e acontecimentos desumanos diários. Mas, em certo aspecto, não temos em nossos dias a mesma sorte de Sêneca. Os meios de comunicação globais transformaram em uma indústria lucrativa a atividade de levar para dentro de nossas casas e mentes todas as atrocidades sempre que ligamos a TV ou abrimos um jornal.

Como o mau comportamento é abundante e inevitável, Sêneca adotou a visão razoável de que uma pessoa sábia nunca deve ficar com raiva diante de nenhum dos fatos que nos atingem ou chegam a nossos ouvidos diariamente. Ele acreditava que o mundo era bom, de modo geral, por causa da gentileza, da generosidade e da razão humanas. Por outro lado, como observou, tantas coisas ruins acontecem que, se todo mau comportamento nos deixasse com raiva, sentiríamos raiva o tempo todo, todos os dias. Isso, é claro, seria inviável.

Para Sêneca, a abordagem alternativa precisaria ser razoável e prática. Em termos realistas, disse ele, devemos esperar que o mundo esteja cheio de pessoas com péssimos traços de caráter. Só que não é a energia prejudicial da raiva que vai melhorar o mundo, e sim o uso da razão. Para um estoico, a maneira correta de enxergar o mundo seria a do médico, que chega ao hospital esperando encontrar uma grande quantidade de pacientes enfermos. Sêneca escreve:

> Uma pessoa sábia é mentalmente calma e equilibrada ao enfrentar um erro, não uma inimiga de quem comete o erro, mas alguém que ajuda os outros a se curar. Todos os dias, ela sai de casa com o seguinte pensamento: "Hoje encontrarei muitas pessoas viciadas em vinho, muitas dominadas pela luxúria, muitas às quais falta gratidão, muitas servas da ganância e muitas enfeitiçadas pelas falsas promessas da ambição." No entanto, ela tratará todas essas condições com gentileza, como um médico trata seus pacientes.[30]

A outra maneira de enxergar o mundo é a partir da perspectiva racional e sensata de um juiz que preside uma corte e que, às vezes, é forçado a punir quem cometeu um erro. Sêneca ressalta que um juiz não deve ter raiva ao punir quem errou, e sim ter esperança de que a punição encoraje o infrator a se tornar uma pessoa melhor. Um juiz que pune alguém com raiva seria tão perigoso e tão indesejável quanto um soldado armado se exibindo quando está bêbado.

Mesmo 2 mil anos depois, Sêneca nos oferece um modelo bom e realista para a mudança social, porque mostra como podemos melhorar o mundo recorrendo apenas à razão. A raiva extrema não aumentará a justiça nem fará do mundo um lugar melhor, apenas o tornará um lugar mais infeliz e descontrolado. A raiva, na visão estoica, é um desserviço que só serve para aumentar o sofrimento humano.

CAPÍTULO 5

Você sempre presente: é impossível fugir de si mesmo

Aqueles que cruzam depressa o mar mudam seus ares, mas não suas mentes.

Horácio, *Epístolas* 1.11.27

CERTO DIA, LUCÍLIO ESTAVA UM POUCO DEPRIMIDO E QUIS SE ANIMAR COM uma viagem. Ele pensou que a mudança de cenário poderia ajudar a melhorar seu humor. Infelizmente, o projeto foi um fracasso: a depressão de Lucílio não foi curada. Como disse Sêneca, "você precisa mudar a mente, não o lugar", porque "suas falhas o acompanharão aonde você for".[1]

Bem, acho que não preciso explicar mais nada sobre isso.

Uma vez vivenciei algo semelhante. Muito tempo atrás, tive a oportunidade de passar uma semana com alguns amigos em uma *villa* da Renascença italiana – a Villa Saraceno, projetada pelo famoso arquiteto Andrea Palladio (1508-1580). Na mesma época, eu tinha terminado um relacionamento no qual eu acreditava muito e ainda estava magoado. Apesar disso, como ficar na *villa* criada por Palladio era uma oportunidade única (e quase sem custo), decidi fazer a viagem, que acabou sendo inesquecível. No entanto, sozinho no quarto, às vezes eu ainda chorava, porque o sofrimento e a decepção me acompanharam.

Quando Sêneca estava escrevendo suas cartas a Lucílio, ele viajou várias vezes para seus refúgios no campo. Em uma carta divertida, ele conta que se viu alojado em cima de um ginásio e de uma casa de banhos barulhenta em Roma. Ele descreveu com detalhes os gemidos que as pessoas emitiam durante os exercícios, no andar de baixo. Menciono isso para enfatizar que Sêneca estava acostumado a viajar e não reprovava o hábito. Para ele, todos precisamos de períodos de relaxamento para libertar a mente. Também acreditava que deixar o ar poluído de Roma era uma excelente ideia, senão uma necessidade médica.[2]

Mas, se Sêneca via de maneira positiva as viagens, por que ele escreveu tanto sobre como nossos problemas interiores nos seguem aonde vamos?

Como ele era um estoico, sua atenção estava voltada para o modo de aprimorar realisticamente nosso caráter interior. Por isso, ele se opunha à ideia de que alguém poderia melhorar seu estado mental de forma minimamente duradoura apenas realizando uma viagem. Independentemente dos problemas que nos afetam interiormente, eles nos acompanham. "O erro não está nas circunstâncias, mas na mente em si... A doença segue o doente."[3] O que ganhamos "indo para longe de tudo", pergunta Sêneca, se nossas preocupações nos acompanharão? Para reforçar o argumento, ele afirma: "Se você quer escapar de seus problemas, não precisa ir para outro lugar; você precisa ser outra pessoa."[4]

Sêneca tinha um tipo específico de personalidade em mente quando escreveu sobre como as viagens podem ser inadequadas. São aquelas pessoas que aproveitam qualquer distração para evitar enfrentar a vida interior – e tudo aquilo que precisam "trabalhar", como dizemos hoje. É amplamente conhecido pela psicologia o fato de que algumas pessoas se ocupam ou se distraem o tempo todo para afastar sentimentos de vazio, solidão ou depressão. Como vivemos em uma sociedade consumista, dá-se muito valor a possuir coisas externas, a participar de atividades externas e a alcançar realizações externas. Em contrapartida, olhar profundamente para dentro de nós mesmos e experimentar uma sensação de vazio, em vez de descobrir uma personalidade bem desenvolvida e feliz, pode ser bastante desconfortável. Na visão estoica, não é que as coisas externas não sejam importantes, mas que a verdadeira felicidade e a paz de espírito vêm de dentro. Portanto, quem deixa de desenvolver o caráter interior provavelmente não será feliz de fato.

Assim como as pessoas "distraídas" e "ocupadas" vivem desperdiçando o dom do tempo (Capítulo 2), as preocupadas também fazem uso inadequado das viagens para evitar desenvolver seu eu interior. Como Sêneca observa de forma incisiva: "Se você sempre decide ir a lugares distantes em busca de lazer, vai encontrar fontes de distração por toda a parte."[5]

No final, ele se pergunta: para que as pessoas tentam fugir de si mesmas se não há escapatória?

TER UMA DIREÇÃO REAL

> A mente não pode se tornar estável a menos que interrompa as divagações.
>
> Sêneca, *Cartas* 69.1

Para Sêneca, é muito importante ter uma direção real. Quando você tem uma direção, tem também foco, consistência e meta. Não ter uma direção envolve falta de foco, inconsistência e mera divagação. Com uma direção real, você sabe exatamente para o que se vive. Mas isso não é válido para quem costuma vagar sem rumo ou reagir diante do que quer que aconteça.

Podemos perceber que ter uma direção real se enquadra perfeitamente na ideia de que o estoicismo é "um caminho" (Capítulo 1), pois caminhos servem para nos levar a algum lugar. O modo como Sêneca contrasta a ideia de ter uma direção real com a ideia de simplesmente vagar não pode ser fruto do acaso. Na verdade, é uma metáfora brilhante e intencional para explicar sua compreensão mais ampla do estoicismo e a importância de manter foco e consistência para progredir.

No início de sua segunda carta a Lucílio, Sêneca demonstra quanto isso era importante para ele. Em outras palavras, o filósofo traz à tona o tema do foco, da "não divagação", na primeira oportunidade possível:

> CARTA 2
>
> *De Sêneca a Lucílio, saudações*
>
> Com base em sua carta e no que tenho ouvido, estou muito esperançoso por você. Você não está divagando ou se deixando perturbar

> pelas constantes mudanças de lugar. Esse tipo de inquietação indica uma mente pouco saudável. Em minha opinião, a primeira prova de uma mente estável é sua capacidade de permanecer em um lugar e desfrutar da própria companhia.[6]

Sêneca, então, muda de assunto, falando sobre como selecionar e ler os livros certos, para discutir quanto a "não divagação" também é vital para a leitura: "Se você quer absorver algo que se fixe de forma confiável em sua mente", diz ele, "deve se concentrar em alguns pensadores escolhidos e se nutrir de suas obras. Quem está em todos os lugares não está em lugar nenhum. Quem viaja o tempo todo acaba fazendo muitos conhecidos, mas nenhum amigo de verdade".[7]

Assim, Sêneca mostra que tanto as viagens quanto as leituras podem ser prejudicadas pela divagação, quando não se tem uma direção real. É claro, ter acesso a uma biblioteca pode ser útil. Mas, no que diz respeito a se tornar um ser humano sábio, é essencial absorver profundamente o pensamento de alguns autores sólidos e conceituados. Sêneca aconselha: "Não estude para saber mais, mas para saber melhor."[8]

Na leitura ou nas viagens, você precisa de foco e direção. Não há por que vagar. Como ele diz, pessoas que viajam o tempo todo têm muitos conhecidos, mas nenhum amigo de verdade, o que não é exagero. Por exemplo, já encontrei nômades digitais, pessoas que viajam constantemente pelo mundo, trabalhando em seus laptops. E, embora funcione bem para algumas pessoas (especialmente casais), a incapacidade de estabelecer amizades duradouras quando se está sempre em movimento – e a solidão que resulta disso – é um problema para muitos deles.

"Aqueles que seguem um caminho", escreve Sêneca, "têm uma direção, mas a perambulação é ilimitada".[9] Ainda que viajar seja bom, o desejo de viajar constantemente é sinal de "inquietação" ou "espírito instável".[10] "À medida que você progride", recomenda Sêneca a Lucílio, "faça um esforço para ser, acima de tudo, coerente consigo mesmo", pois "uma mudança de propósito mostra que a mente está à deriva, emergindo aqui e ali como se fosse carregada pelo vento".[11] (Veja a Figura 3.)

Estudante do estoicismo	Típico não estoico
Viaja com uma direção.	Perambula sem direção.
É focado e coerente.	Carece de foco e coerência.
É estável e calmo. Vive no momento presente. Antecipa o futuro sem ansiedade.	Sente-se inquieto. Tenta fugir de si mesmo. Preocupa-se com o futuro.
Tem um propósito que o norteia.	É jogado em diferentes direções pelos ventos do acaso.
Percebe que a infelicidade é causada por nossas opiniões sobre as coisas.	Pensa que outras pessoas ou coisas externas nos fazem infelizes.
Sabe como evitar ou como desconstruir emoções negativas extremas.	Vivencia emoções negativas extremas regularmente e não sabe por quê.
Supera a adversidade ao transformá-la em algo positivo ou admirável. Continua avançando.	Sofre com a adversidade e o desencorajamento. Sente-se frustrado por contratempos.
É grato ao universo.	Queixa-se com frequência.
Está seguindo em direção à liberdade e à tranquilidade ao aprender como fazer juízos mentais verdadeiros.	É subjugado por falsas opiniões, que resultam em emoções negativas e sofrimento.

Figura 3: Descrições feitas por Sêneca de como um estudante do estoicismo difere de um típico não estoico, incluindo metáforas relacionadas a viagens.

Por exemplo, se estou trabalhando em um projeto com foco mental, posso acessar a internet, procurar uma informação e voltar logo ao trabalho. Mas, se não tenho esse tipo de foco, começo a navegar pela web, depois pelo Facebook e pelo YouTube, vagando por horas. É inofensivo fazer isso de vez em quando, mas se o comportamento é cotidiano, como forma de procrastinação, algo está errado. Muitas vezes, a procrastinação é um sinal de que a pessoa considera seu trabalho insatisfatório. Nesse caso, talvez faça sentido procurar um trabalho mais interessante.

Embora Sêneca recomende ter foco e direção, ele certamente não era uma pessoa sem alegria, para quem tudo é "só trabalho, sem divertimento". Ele valorizava muito o ócio e o tempo livre, chegando até a escrever a obra *Sobre o ócio*, que pode ser lida ainda hoje.[12] Os interesses de Sêneca incluíam o cultivo de uvas, então provavelmente ele foi um produtor de vinho. Embora tivesse parado de beber no fim da vida, recomendava que as pessoas bebessem, quase até se embriagarem, por causa do efeito libertador do vinho sobre a mente.

Para Sêneca, o ócio era uma das melhores coisas da vida, mas só é gratificante se a mente for estável e bem desenvolvida para poder desfrutar dele. É por isso que a filosofia, para Sêneca, era a companheira essencial de uma vida boa e feliz. Uma pessoa sábia, por exemplo, será capaz de viajar e extrair algo profundo da viagem, pois sua mente está preparada para a experiência, enquanto outras pessoas apenas "embarcam em uma jornada depois da outra, substituindo um espetáculo por outro".[13] O que você realmente recebe da vida, em termos de prazer verdadeiro, depende daquilo que você traz para ela.

Embora uma pessoa sábia ou que esteja sendo treinada no estoicismo deva ter uma mente calma e estável, muitas pessoas são inquietas, descontentes, instáveis e facilmente irritáveis. Escrevendo sobre o pensamento de Sêneca, o filósofo e historiador Mark Holowchak apresenta um motivo pelo qual as pessoas inquietas acreditam que viajar pode melhorar seu estado emocional. Tem a ver com a *expectativa*, "a esperança de que o amanhã será melhor do que hoje". A expectativa, explica ele, geralmente é criada pela combinação de angústia e desejo. A angústia é a sensação de que algum mal está presente neste momento; o desejo vem do "sentimento de que algo bom está à espreita, no horizonte, para substituir o mal".[14] Em resumo, se pudéssemos alcançar esse horizonte, as coisas seriam melhores.

Embora Sêneca acreditasse que alguns locais não são saudáveis (pense em uma cidade litorânea em época de férias), segundo ele, "deveríamos ter a seguinte crença: 'Não nasci para viver em um cantinho. O mundo todo é meu lar'".[15] Como outros estoicos romanos, Sêneca acreditava que é possível ser feliz em praticamente qualquer lugar, mesmo no exílio. Como ele observou: "O lugar onde se vive não contribui tanto para a tranquilidade. É a mente que faz com que tudo seja satisfatório. Já vi pessoas sombrias em uma *villa* alegre e agradável, e outras felizes trabalhando em completo isolamento."[16]

Existe sempre a possibilidade de que viajar ajude algumas pessoas a eliminar suas insatisfações com a vida, em razão da crença de que as coisas serão melhores em um lugar diferente. Mas o mais provável é que essa crença seja o que alguns psicólogos chamam de "síndrome da grama mais verde", que se baseia no ditado popular "A grama do vizinho é sempre mais verde". Embora não seja um diagnóstico psicológico profissional, essa é uma percepção que certamente explica muitos relacionamentos fracassados. Quando as relações acabam, muitas vezes os envolvidos acreditam que "a vida seria melhor com outra pessoa". Por isso, em vez de regarem e cultivarem o próprio gramado, pensam que o outro é mais desejável, ainda que isso seja, em geral, uma fantasia.

Às vezes, a grama *pode* ser mesmo mais verde em outro lugar, e outro gramado pode significar uma direção real. Mas as pessoas que geralmente sofrem em razão das expectativas tendem a viver insatisfeitas e inquietas, pois não conseguem escapar de si mesmas. A solução para a infelicidade psicológica geralmente está dentro de você.

TER UM PROPÓSITO NORTEADOR

Para Sêneca, ter uma direção real é como ter um propósito norteador, que é o primeiro e verdadeiro objetivo do estudo da filosofia estoica.

Sêneca preconiza um "estilo de vida estável e calmo que siga um único caminho". Mas, como ele diz, muitas pessoas pulam de propósito em propósito, mudando de planos com frequência. É como se os ventos do acaso as levassem de um lado para outro. "Apenas algumas pessoas", diz ele, "planejam a vida e os afazeres tendo um princípio norteador". As demais são simplesmente arrastadas, algumas com violência, como objetos boiando em um rio que corre depressa. A alternativa, escreve ele, é que "devemos decidir o que queremos de fato e manter essa decisão".[17]

Segundo Sêneca, as pessoas cometem erros porque consideram apenas partes da vida, não a vida como um todo. Como um arqueiro que direciona sua flecha para um alvo, devemos ter um objetivo geral. Em uma frase inesquecível, ele observa: "Quando não se sabe em direção a qual porto se navega, não existe vento a favor." Em outras palavras, quando não se tem uma direção, a vida é governada pelo acaso.[18]

Felizmente, afirma Sêneca, *existe* uma bússola que nos serve como um guia seguro. E esse guia não é uma religião, uma escritura sagrada ou qualquer outra coisa externa, e sim nosso poder de raciocinar com clareza: "Sempre que você quiser saber o que buscar ou evitar, olhe para o seu Bem Maior, o objetivo de sua vida", pois tudo que fazemos deve estar em harmonia com ele.[19]

Embora a ideia de que "uma pessoa deve viver de acordo com seu Bem Maior" possa parecer um pouco estranha aos nossos ouvidos nos dias de hoje, ela fazia todo o sentido para os estoicos romanos. Pois eles sabiam exatamente *o que* esse Bem Maior significava – o esforço constante de viver de modo honrado e racional, com excelência de caráter, alinhando sua vida às quatro virtudes cardeais: sabedoria, coragem, prudência e justiça.

CAPÍTULO 6

Como domar a adversidade

A CIDADE QUE DESAPARECEU EM UM INSTANTE

No verão do ano 64, Sêneca recebeu notícias terríveis por meio de um amigo. A colônia romana de Lugduno – atual Lyon, na França – fora totalmente destruída por um incêndio. Pior: a destruição acontecera em poucos minutos. Sêneca considerou o incêndio "tão inesperado e insólito, porque não tinha precedentes".[1] Como ele observou, é raro que o fogo consuma tudo de modo tão violento que não reste nada.

Sêneca dedica toda a Carta 91 ao incêndio de Lugduno. Tendo em vista os poderosos sentimentos que desperta, é uma de suas obras mais fortes. Em tom poético, ele descreve a fragilidade de tudo que o homem e a natureza criam, e como as coisas podem se transformar em seus opostos quase instantaneamente. A paz se transforma em guerra, um dia calmo em uma terrível tempestade. A prosperidade rui, tornando-se pobreza, a saúde se converte em doença. As conquistas de uma vida inteira podem ser perdidas em um único dia. Uma hora é tempo suficiente para um império ser destruído. "A realidade", escreve ele, "é que as coisas são construídas lentamente, mas o caminho da ruína é rápido".[2]

O fogo se espalhou sobre Lugduno tão depressa e de forma tão inesperada que a cidade não teve chance de combatê-lo. Mas o infortúnio não é incomum. Todos nós estamos destinados a ser atingidos.

Embora os estoicos romanos tenham escrito sobre como lidar com a adversidade, Sêneca foi mestre nesse assunto e dedicou centenas de páginas a essa discussão. *Como devemos reagir quando coisas ruins acontecem com pessoas boas?* é uma pergunta que nunca sai de moda, porque enfrentar a adversidade faz parte da natureza humana. Mesmo a pessoa mais rica e privilegiada é incapaz de evitar a dor e o sofrimento, a fatalidade ocasional, e o sentimento de que as coisas tomaram o rumo errado. Na verdade, os sábios ensinamentos de Sêneca sobre a adversidade contribuem significativamente para que seus escritos sejam populares hoje. Durante o isolamento social forçado pela pandemia da Covid-19, ao longo do qual escrevi parte desta obra, as vendas de livros caíram drasticamente em razão do impacto da recessão econômica global. No entanto, durante a primeira onda, as vendas de *Cartas a Lucílio*, de Sêneca, aumentaram 747% na Grã-Bretanha.[3] Durante esse período altamente estressante, os ensinamentos de Sêneca sobre como viver uma vida tranquila, apesar da adversidade, atraíram muitos novos leitores.

VIRTUDE E SERENIDADE: COMO OS ESTOICOS ENCONTRAM O BEM MESMO EM SITUAÇÕES ADVERSAS

> Não deseje situações difíceis, e sim a virtude que permite suportá-las.
>
> Sêneca, *Cartas* 15.5

Vivemos em um mundo imprevisível, mas sabemos que todos passaremos por adversidades, situações difíceis e sofrimentos. Como os estoicos conseguiam viver uma vida tranquila e feliz, mesmo assim?

Pelo bom senso, os estoicos sabiam que adversidades e situações difíceis são apenas parte da vida, por isso desenvolveram maneiras de antecipar e responder a essas experiências inevitáveis. Mas era principalmente seu modo implícito de ver o mundo que afastava deles a dor emocional que a maioria das pessoas sente quando infortúnios cruzam o seu caminho. Em outras palavras, os estoicos aprenderam a ver o mundo de maneira um pouco diferente das pessoas comuns, fazendo as situações difíceis parecerem menos dolorosas.

Em última análise, os estoicos acreditavam que uma pessoa com um caráter bem desenvolvido seria capaz de suportar a adversidade com uma mente contente ou alegre. Como vimos no Capítulo 4, isso não significa que um estoico não tinha sentimentos humanos comuns, mas se perguntava como poderia olhar para o mundo a fim de evitar que esses sentimentos se tornassem extremamente negativos ou debilitantes.

É possível encontrar a resposta em duas ideias-chave estoicas, mencionadas brevemente na introdução deste livro. A primeira é a virtude, ou excelência interior, como único bem verdadeiro. A segunda tem a ver com o fato de que algumas coisas "dependem de nós" e outras não, portanto devemos nos concentrar no que realmente está sob nosso controle.

Agora é hora de analisar com mais profundidade essas ideias e como elas podem ajudar a aliviar o sofrimento humano.

A palavra *virtude* infelizmente soa antiquada e conservadora. Para os gregos antigos, virtude, ou *aretē*, significava "bem" ou "excelência". Até mesmo um objeto inanimado pode possuir excelência. Por exemplo, a *aretē* de uma faca é ser afiada e cortar bem. A virtude de um cavalo pode ser força e velocidade. No que diz respeito aos seres humanos, o que nos diferencia dos outros animais é o fato de sermos *racionais*. Portanto, para os estoicos, o ser humano com virtude deve agir de maneira racional, sensata ou honrada. Isso significa que devemos desenvolver um caráter bom e estável, caracterizado pela serenidade, de modo que as emoções negativas extremas não nos façam perder a estabilidade mental.

Além da racionalidade, existem muitas outras virtudes. Na época de Platão, os gregos identificaram quatro virtudes primárias ou "cardeais": *sabedoria*, *coragem*, *prudência* e *justiça*, que os estoicos também consideravam essenciais.

A segunda ideia-chave é que algumas coisas "dependem de nós" ou estão dentro da nossa competência, enquanto outras não. Os estoicos atuais chamam isso de *dicotomia do controle*, e é uma ideia central ao estoicismo romano.[4] No entanto, quando você reflete a esse respeito, percebe que há muito pouco sob nosso total controle. Nem mesmo nosso corpo e nossos pensamentos podem ser controlados o tempo todo.

Para dar outro exemplo, embora possamos controlar nossas intenções, não conseguimos controlar o resultado das coisas. Se você monta um negócio, talvez seja bem-sucedido em termos de marketing, algo que, em teoria, está sob seu total controle. Mas a empresa pode falhar por inúmeros outros motivos, incluindo a possibilidade de não haver demanda suficiente para o produto ou serviço que ela está oferecendo.

Hoje o filósofo estoico mais famoso por escrever sobre a dicotomia do controle é Epicteto, que era muito jovem quando Sêneca morreu. No entanto, Sêneca e outros estoicos precedentes também aceitavam essa ideia, só que com outros termos. Sêneca falava em *virtude* e *Fortuna*.[5] Para Sêneca, a virtude (e nosso caráter interior) depende de nós, mas a Fortuna ou o acaso não (veja a Figura 4). Embora devamos tentar sempre fazer bom uso das coisas que escapam ao nosso controle (para ajudar a criar um mundo melhor), primeiro devemos nos concentrar em ter um bom caráter, pois, sem virtude ou bom caráter, não seremos capazes de criar nada de bom no mundo. Como Sêneca escreveu: "A virtude é, em si, o único bem, pois nada é bom sem ela."[6]

	Dicotomia do controle	
Sêneca	Virtude / caráter interior	Fortuna ou acaso
Epicteto	"Dependem de nós"	"Não dependem de nós"

Figura 4: Dicotomia do controle de acordo com Sêneca e Epicteto. Enquanto a virtude e o caráter interior "dependem de nós" e estão sob o nosso controle, as coisas no domínio da Fortuna ou do acaso não dependem totalmente de nós.

Na filosofia estoica, essas duas ideias – a de que a virtude é o único bem verdadeiro e a de que algumas coisas escapam ao nosso controle – são como duas substâncias químicas poderosas. Quando combinadas e misturadas, ocorre uma reação intensa e surge uma forma completamente nova de enxergar o mundo.

UMA DAS PRINCIPAIS DIFERENÇAS entre uma pessoa comum e um estoico é que a primeira enxerga as coisas exteriores – ter dinheiro, uma casa bonita e uma bela família, por exemplo – como *bens*, enquanto o segundo as vê apenas como *benefícios*. A princípio, essa diferença pode parecer pequena ou um mero jogo de palavras. Mas, para um estoico, a distinção é crucial, uma vez que a virtude é o único bem verdadeiro. (Dito isso, a pessoa estoica *desejará* ter, se possível, benefícios externos, como todo mundo.)

Para Sêneca, "sob o poder do acaso, todas as coisas são servas", incluindo dinheiro, corpo, reputação, etc.[7] Como ele explica, qualquer pessoa que acredita que as coisas externas são bens se submete à Fortuna, ao acaso e a coisas fora de seu controle. Mas a pessoa que entende que o bem é uma virtude pode encontrar felicidade duradoura dentro de si, independentemente das circunstâncias externas.[8]

Para um estoico, qualquer coisa que seja um verdadeiro bem, como a virtude, nunca pode ser tirada de nós, ao mesmo tempo que tudo que pode ser tirado de nós *não* é um verdadeiro bem – é apenas um benefício ou uma dádiva da Fortuna. "É um erro", escreveu Sêneca, "acreditar que algo bom ou ruim nos é dado pela Fortuna". Na verdade, a Fortuna nos dá apenas a matéria-prima para criar o bem ou o mal, com base nas nossas características, sejam elas boas ou más.[9] Dirigindo-se a seus alunos, o mestre estoico Epicteto também foi categórico nesse ponto: "Não busquem o que é bom fora de vocês; busquem dentro de si mesmos, ou nunca o encontrarão."[10]

EMBORA ACREDITASSEM QUE DINHEIRO, saúde, amigos e família, entre outras coisas, são benefícios que devemos buscar ativamente, os estoicos viam os benefícios como valiosos, mas se recusavam a chamá-los de "bens". E por que faziam essa distinção? Parte da resposta remonta a Aristóteles, que afirmava que, para levar uma vida verdadeiramente boa ou feliz, era preciso contar também com "bens externos", como saúde, algum dinheiro e até mesmo boa aparência. (Aristóteles, aliás, era o filho sempre bem-vestido de um pai rico, que era o médico da corte do rei da Macedônia.)

Para os estoicos, porém, a crença de Aristóteles era absurda, porque muitas pessoas, com a idade, perderão muitos ou todos esses bens externos. Por exemplo, vamos imaginar que você desenvolva um caráter moral perfeito ao longo de toda a sua vida, mas em determinada idade perca a riqueza, a saúde e a família e se encontre, de repente, diante da morte. Será que esse revés repentino significaria que sua vida deixou de ser boa ou que você perdeu seu caráter moral? Claro que não. E quanto à "boa aparência"? Sócrates, considerado uma das pessoas mais virtuosas que já existiram, era famoso por ser feio. As pessoas diziam que ele, com seu nariz achatado, parecia um sátiro.

Ao insistir que a virtude é o único bem verdadeiro, os estoicos afirmavam um igualitarismo radical. Embora seja melhor possuir os benefícios óbvios, mesmo que você seja pobre, doente, feio ou esteja morrendo, ainda é inteiramente possível ser uma pessoa boa e virtuosa. E, independentemente das circunstâncias da vida, ainda é possível encontrar uma maneira de estudar filosofia. Como escreveu Sêneca, qualquer pessoa pode desenvolver a excelência da mente, se assim o desejar: "A filosofia não exclui nem escolhe ninguém. Sua luz brilha para todos."[11]

TENDO OU NÃO CERTA inclinação para a forma de pensar do estoicismo, espero que você veja agora quanto essas duas ideias, se combinadas, são poderosas. Quando se adotam realmente as ideias estoicas de que "a virtude é o único bem verdadeiro" e "muitas coisas escapam ao nosso controle", ocorre uma mudança significativa na maneira como a maioria das pessoas enxerga e vivencia o mundo. E essa mudança faz qualquer infortúnio externo parecer bem menos assustador. Independentemente disso, podemos resumir em uma fórmula simples a ideia de Sêneca sobre a relação entre infortúnio e virtude: o que importa não é *o que* suportamos, mas *como* suportamos. Ainda que alguma adversidade possa nos atingir, a verdadeira medida de nosso caráter é o modo como reagimos a ela.

> Se você não quer que uma pessoa entre em pânico durante uma crise, treine-a com antecedência.
>
> Sêneca, *Cartas* 18.6

Uma abordagem estoica para reduzir o impacto de acontecimentos negativos é a chamada *praemeditatio malorum*, "premeditação de adversidades futuras". Ela envolve simular brevemente em seus pensamentos possíveis fatos negativos antes que eles ocorram. Caso venham a acontecer, você estará mentalmente preparado e o choque emocional será bem menor. Embora essa técnica não funcione para todo mundo e possa causar ansiedade (se for o seu caso, não a utilize), para mim e muitas outras pessoas ela funciona muito bem. Na verdade, todos que já fizeram um exercício de simulação de incêndio na escola a conhecem. Ensaiar um desastre potencial com antecedência aumenta sua capacidade de enfrentar e pensar com clareza, caso o desastre imaginado ocorra.

Por falar em exercícios contra incêndio, Sêneca dá exatamente esse conselho a Lucílio, depois de descrever a terrível destruição de Lugduno pelo fogo:

> Quando não se prevê um desastre, seu peso é maior. O choque torna o impacto mais forte e todo ser mortal sente uma tristeza mais profunda quando é pego de surpresa. Portanto, nada deve ser inesperado para nós. Devemos nos prevenir e levar em consideração não apenas o que geralmente acontece, mas o que *pode* acontecer.[12]

Ou, como ele diz em outro texto, com ênfase ainda maior: "Pensemos em qualquer coisa que *pode* acontecer como algo que *vai* acontecer."[13]

A ideia básica por trás da premeditação da adversidade é imaginar algum possível infortúnio, como se você estivesse praticando ou exercitando seus músculos estoicos. Como observa Sêneca: "O que há muito tempo era esperado chega de forma mais suave."[14] Além disso, devemos esperar que a adversidade às vezes cruze nosso caminho, pois "as situações difíceis chegam por meio de uma lei da natureza".[15] A premeditação da adversidade remonta aos primeiros estoicos gregos e foi usada por todos os estoicos romanos importantes.[16] Sêneca se refere ao conceito com frequência. Um dos trechos mais famosos é o início das *Meditações* de Marco Aurélio. Escrevendo em seu diário pessoal, Marco Aurélio lembra: "Diga a si mesmo todas as manhãs: hoje vou me encontrar com pessoas intrometidas, ingratas, arrogantes, falsas, invejosas e antissociais. Elas têm esses defeitos porque ignoram o que é bom e o que é mau."[17]

Uma coisa é certa: Sêneca e os outros estoicos perceberam que o mundo está cheio de pessoas irritantes. E, uma vez que elas certamente cruzarão seu caminho, você pode se preparar para isso, o que o ajudará a evitar uma reação emocional negativa quando isso acontecer. Assim, da próxima vez que sair para um passeio de carro, lembre-se de que pode encontrar um motorista maluco, com um comportamento violento no trânsito. Caso isso aconteça, não será nenhuma surpresa para você e, como um estoico bem treinado, poderá dizer "Eu sabia" ou "Já esperava".[18]

A melhor aplicação que fiz da *praemeditatio malorum* envolveu meu filho pequeno, Benjamin. Pouco depois do nascimento dele, comprei uma casa geminada em Sarajevo. Embora tenha uma bela vista, as sólidas escadas de madeira que levam ao terceiro andar, onde ficam os quartos, são muito íngremes e perigosas. Como dizemos nos Estados Unidos, não atendiam às normas de segurança. As escadas são tão perigosas que, se Benjamin caísse, poderia morrer.

Para evitar que ele se machucasse ou morresse, encarei o projeto em etapas. Primeiro, tomei todas as precauções ao meu alcance para evitar que isso acontecesse. Depois de comprar a casa, instalei um corrimão para garantir mais segurança para todos – inacreditavelmente não havia corrimão! Então, mandei fazer um portão de madeira com trinco e o instalei no topo da escada. Trancávamos o portão à noite para que ninguém rolasse escada abaixo por acidente. Por fim, colei fita antiderrapante na escada estreita e escorregadia para criar um pouco de atrito e torná-la menos perigosa.

Isso era tudo que eu podia fazer em termos concretos, mas a escada continuava sendo perigosa. Por isso, a etapa seguinte envolveu treino. Todas as manhãs, quando Benjamin descia a escada com a mãe para ir à escola, eu dizia: "Benjamin, sempre segure no corrimão!" Ele dizia "Ok!" e prosseguia, obedecendo à minha orientação. Na verdade, até hoje eu o lembro de segurar no corrimão.

A última coisa que fiz foi praticar a *praemeditatio malorum*. Como se tratava de uma cautela séria, eu imaginava Benjamin caindo da escada e se machucando. Dessa forma, se de fato acontecesse, eu já estaria preparado. (Em outras palavras, não entraria em pânico como reagiu minha mulher quando nosso filho caiu de um escorregador e bateu a cabeça.) Também imaginava a *minha* reação à queda de Benjamin, tendo em mente a gravidade dos ferimentos.

Embora pareça um exercício desagradável, foi bom praticá-lo, porque um dia, aos 6 anos, Benjamin caiu. Felizmente, ele já estava quase no pé da escada e, embora tenha esfolado as costas nos degraus duros e salientes, ficou bem. Foi apenas um susto, sem ferimentos graves. O treinamento estoico me permitiu reagir ao infortúnio com calma – preocupado, mas sem pânico. Não houve choque ou surpresa com o acidente, porque eu havia previsto.

O exercício estoico de contemplar o infortúnio futuro se assemelha fortemente a uma técnica da psicoterapia atual conhecida como *terapia de exposição*, que ajuda as pessoas a enfrentar e superar seus medos. Na terapia de exposição, o paciente é exposto gradualmente, em pequenas doses, à fonte da ansiedade ou fobia. Com o tempo, a exposição aumenta até o medo desaparecer por completo ou diminuir de forma significativa. Embora a terapia de exposição possa assumir muitas formas, uma das técnicas envolve se expor à fonte do medo de modo imaginário. Esse tipo de terapia de exposição, que é usada hoje por psicólogos, corresponde exatamente à antiga prática estoica.

Como William B. Irvine aponta em seu livro *The Stoic Challenge*, outra vantagem inesperada da prática de premeditação da adversidade é que ela ajuda a superar a *adaptação hedônica*, que acontece quando você compra um objeto novinho em folha e sente grande prazer em tê-lo, mas com o tempo se adapta a ele e o prazer desaparece. Você pode até vir a considerar o objeto banal. Sêneca, que era um psicólogo perspicaz, descreveu essa experiência comum várias vezes em seus escritos: "Você não percebe", perguntou ele, "que tudo perde a força quando se torna familiar?"[19]

Depois de morar na mesma casa por mais de cinco anos, não me sinto tão empolgado com ela hoje como quando a comprei. Mas, se pratico a premeditação da adversidade e a imagino sendo destruída por um incêndio ou por um terremoto, logo fico grato por possuir algo que, de outra forma, me pareceria banal. Os estoicos recomendam que nos lembremos regularmente de que nossos familiares e amigos mais próximos morrerão um dia, talvez até mesmo amanhã. Esse não é apenas um acontecimento natural, mas também um pensamento que nos ajudará a reduzir o choque emocional quando eles partirem. E, em um sentido positivo, nos encoraja a reconhecer seu valor no momento presente e a agradecer a cada dia pelo tempo que ainda temos com eles.

O UNIVERSO NOS PÕE À PROVA: ADVERSIDADE COMO TREINO

Embora Sêneca acreditasse que nada de terrível poderia acontecer ao caráter interior de uma pessoa sábia (veja o Capítulo 10), o fato de que todos passaremos por adversidades é uma lei da natureza. Sob o ponto de vista estoico, entretanto, essas adversidades nos são enviadas por "Deus" ou pelo "universo" como "exercícios de treino", que nos colocam à prova e nos ajudam a desenvolver nosso caráter. (Embora Sêneca use o termo *Deus* como outros autores estoicos, é essencial saber que, para eles, o termo não corresponde ao conceito cristão de Deus. A noção estoica se refere a um tipo de inteligência presente na natureza que eles chamariam indistintamente de *Deus*, *Natureza*, *Destino*, *Zeus*, *o universo*, etc. Neste livro, uso o termo "universo", quando possível, para evitar qualquer confusão com a ideia judaico-cristã de Deus.)

Sêneca escreveu que, se "o fogo coloca o ouro à prova, a adversidade coloca os homens valentes à prova".[20] É significativo o fato de que ele escreveu uma obra inteira, *Sobre a Providência Divina*, a respeito de como o universo nos envia "provas" para que possamos desenvolver um caráter melhor. Como disse Demétrio, amigo de longa data de Sêneca: "Ninguém me parece mais infeliz do que alguém que nunca enfrentou adversidades."[21] A razão para isso, explica o filósofo, é que "essa pessoa nunca foi colocada à prova".

Na verdade, reforça Sêneca, uma pessoa nunca pode estar segura de sua força de caráter se não a colocar à prova: "Não ter nada que inspire você, não ter nada que desafie você a agir, não ter nada contra o que provar a força de sua mente – essa não é a paz oferecida pela tranquilidade. É apenas a capacidade de flutuar na calmaria de um mar morto."[22] Em outro texto, ele diz que o universo é como um pai que ama seus filhos de forma um pouco dura. Somente quando somos estimulados por dificuldades, dores e perdas podemos nos tornar genuinamente fortes como seres humanos. Por outro lado, "a boa sorte perfeita não consegue resistir sequer a um único golpe".[23]

Para Sêneca, uma das piores coisas que poderiam acontecer a uma pessoa seria levar uma vida de extremo prazer e facilidade, sem que seu caráter fosse testado. Depois de Sêneca, Epicteto usou uma linguagem quase idêntica. "São as dificuldades que revelam o caráter da pessoa", escreveu ele. Portanto, sempre que alguém enfrenta a adversidade, é como se um treinador de atletismo "colocasse você para competir com um oponente jovem e poderoso". Quando alguém perguntou a Epicteto *por que* isso acontece, ele respondeu: "Para que você possa se tornar um campeão olímpico; e isso é algo impossível de ser alcançado sem um pouco de suor."[24]

ADVERSIDADE TRANSFORMADORA

> Não importa o que a Fortuna coloque em seu caminho, o sábio o transformará em algo admirável.
>
> Sêneca, *Cartas* 85.40

Uma das coisas mais inspiradoras a respeito do estoicismo romano é o modo como os estoicos acreditavam que algo bom sempre pode resultar de uma situação adversa. Como Sêneca escreveu: "O desastre é a oportunidade da virtude."[25] Mesmo o pior infortúnio nos permite responder de forma virtuosa.

Segundo ele, independentemente do que aconteça, devemos encontrar o que há de positivo na situação e transformá-la em algo bom. Dessa forma, "o que importa não é o que você enfrenta, mas como enfrenta".[26]

No mundo real, nossa vida é repleta de fracassos. Às vezes, nos negócios ou no amor, nossos planos mais elaborados não funcionam. A maioria das pequenas empresas vai à falência nos primeiros 10 anos de existência. Casamentos fracassam. As pessoas perdem empregos, muitas vezes sem ter culpa. O importante para um estoico é entender que isso é apenas um fato da natureza: às vezes, nossos planos ou objetivos dão errado. E quando o fracasso acontecer, é nossa responsabilidade aprender com ele, reagir com virtude ou transformá-lo em algum outro tipo de oportunidade.

Por exemplo, por muitos anos, dirigi uma pequena editora de livros que praticamente não deu lucro. Mas as habilidades que adquiri ao dirigi-la me permitiram abrir um negócio de edição e design de livros, e isso me deu a oportunidade de trabalhar para algumas das editoras mais conceituadas do mundo. Também pude pesquisar e escrever este livro.

Sêneca disse que um sábio estoico se assemelha a um habilidoso adestrador de animais, como um domador de leões. Em seu estado natural, um leão pode ser feroz, perigoso e assustador. Mas, sob a influência de um bom adestrador, um leão feroz pode se tornar um companheiro doce, permitindo até mesmo que seu treinador o beije, abrace e introduza o braço entre suas mandíbulas mortais. Para Sêneca, a maneira como um estoico doma a adversidade se assemelha exatamente ao trabalho do treinador de animais: "De modo semelhante, o sábio é um especialista habilidoso em domar o infortúnio. Dor, pobreza, desgraça, prisão e exílio são temidos por todos. Mas, quando encontram a pessoa sábia, são domesticados."[27]

Ninguém tem o controle das circunstâncias que a vida nos apresenta, mas o estoico aproveita qualquer situação e a transforma em algo valioso. "Aconteça o que acontecer", escreveu Epicteto, "tenho o poder de extrair algum benefício da situação".[28]

Desse modo, o estoico busca fazer bom uso de tudo o que a vida ou o momento presente tem a oferecer. Como explica Marco Aurélio, se algo negativo acontece, podemos "aproveitar esse revés para fazer uso de outra virtude".[29] Ou, como escreve Sêneca, o estoico "transforma em bem" tudo que é ruim.[30]

Ryan Holiday pegou emprestada essa ideia estoica dos escritos de Marco Aurélio e a transformou no título inesquecível de seu livro *O obstáculo é o caminho* (2014). Marco Aurélio inspirou esse título quando, quase

20 séculos antes, escreveu o seguinte lembrete para si mesmo em seu caderno estoico:

> Nossas ações podem ser tolhidas... mas nada pode tolher nossas intenções ou disposições. Porque podemos nos acomodar e nos adaptar. A mente se adapta e transforma os obstáculos à ação de acordo com seus propósitos.
>
> O obstáculo à ação promove a ação.
>
> O que se coloca no caminho se torna o caminho.[31]

Como é possível perceber por esses trechos, Sêneca, Epicteto e Marco Aurélio – os principais estoicos romanos – concordaram plenamente a respeito do valor de transformar a adversidade em algo melhor. E, o que é mais importante, mostraram que, não importa o que nos aconteça, sempre podemos reagir de modo a trazer algo bom ao mundo.

CAPÍTULO 7

Por que você não deve reclamar

Uma coisa não o irritará se você não adicionar irritação a ela.

Sêneca, *Cartas* 123.1

NÃO HÁ NADA PIOR DO QUE ESTAR PERTO DE ALGUÉM QUE RECLAMA SEM parar. Mas não se preocupe, isso é apenas uma observação. Não uma reclamação.

Como você pode imaginar, Sêneca e os outros estoicos se opunham vigorosamente a reclamações, queixas e resmungos de toda espécie. Nenhuma novidade até aqui. Mas a razão pela qual rejeitavam as reclamações surpreenderá muitos leitores. No fim deste capítulo, exploraremos o pensamento dos estoicos sobre por que não reclamar. Por enquanto, vamos entender como as pessoas enxergam as reclamações nos dias atuais.

Minha esperança inicial, no entanto, é que você nunca tenha precisado passar muito tempo com alguém que reclama sem parar. Pessoas que estão sempre reclamando me lembram Chiqueirinho, o personagem da história em quadrinhos *Peanuts*. Quando Chiqueirinho andava, estava sempre cercado por uma grande nuvem de poeira e sujeira, aonde quer que fosse. Mas a pessoa que reclama demais não vive cercada por uma nuvem de poeira. Em vez disso, vive cercada por uma nuvem de energia psíquica negativa que a acompanha por toda parte. Dentro dessa nuvem há muita irritação e insatisfação, sempre prontas para serem expressas, junto com o desejo de que alguém reaja ao descontentamento emocional de quem reclama.

"UM DIA RUIM NO TRABALHO"

Para muitas pessoas hoje, o ambiente de trabalho é um terreno fértil para irritações e reclamações. Sêneca até mencionou isso em seus escritos: as pessoas sobrecarregadas com tarefas no trabalho provavelmente ficarão irritadas. "Quando uma pessoa está correndo de um lado para outro, o tempo todo resolvendo problemas, seu dia nunca será tão calmo a ponto de não haver nenhuma irritação, provocada por algo ou alguém, que leve a mente ao aborrecimento."[1]

O que surpreende, porém, é quanto tempo as pessoas perdem reclamando no trabalho. De acordo com um estudo de Marshall Goldsmith, citado na *Harvard Business Review*, a maioria dos empregados passa pelo menos 10 horas por mês reclamando de seus chefes ou da gerência ou ouvindo as reclamações dos colegas. Ainda mais impressionante: *quase um terço de todos os empregados passa 20 horas ou mais por mês se queixando ou ouvindo reclamações*![2] Sim, essa estatística surpreendeu até a mim!

Claro, toda essa energia desperdiçada em reclamações é uma enorme perda de tempo e produtividade, porque reclamar não costuma trazer nenhuma mudança. Na verdade, "quanto mais reclamamos, maior a probabilidade de que a frustração aumente".[3] No entanto, como aponta Peter Bregman, o autor do artigo, essas reclamações podem levar a mudanças se forem enquadradas como críticas construtivas e discutidas seriamente. O problema é que muitas pessoas acham ameaçadora a ideia de ter uma conversa concreta, capaz de transformar as coisas. Reclamar é uma via bem mais fácil.

Mas, afinal, o que *é* reclamar?

Se meu filho se comportasse mal na escola hoje, mordendo o pé de uma menina – sim, isso aconteceu quando ele estava no primeiro ano! –, eu poderia declarar "Benjamin agiu mal hoje" e isso não seria uma reclamação. Porém, se eu dissesse "Benjamin agiu mal hoje, que criança terrível!", isso *seria* uma reclamação. (É claro que eu não falei isso.) A primeira afirmação é apenas uma observação; a segunda é um "extravasamento" emocional negativo, que geralmente aparece em reclamações. No fim das contas, reclamar envolve expressar insatisfação emocional.

É tão fácil reclamar que muitas vezes as pessoas nem percebem que estão reclamando – é uma espécie de mau hábito enraizado –, de modo que a única maneira de mudar isso é retroceder mentalmente, perceber quando as reclamações acontecem e tentar cessar o comportamento.

Percebendo isso e o fato de que as pessoas que reclamam podem ser tóxicas, Will Bowen, um pastor de Kansas City, propôs há alguns anos o desafio "21 Dias sem Reclamar". Como o próprio título indica, o objetivo é passar três semanas inteiras sem reclamar uma única vez. O truque inteligente é que o desafio envolve usar uma pequena pulseira roxa, que o pastor Bowen vende aos participantes. Assim que você inicia o desafio *A Complaint Free World®* (Um mundo livre de reclamações), começa a contar o número de dias que consegue passar sem reclamar. E, quando reclama, você precisa passar a pulseira para o outro pulso e começar de novo, reiniciando a contagem no primeiro dia. De forma um tanto surpreendente, ele revela em seu site: "*As pessoas levam, em média, de quatro a oito meses para completar o desafio de 21 dias.* Mas fique firme! Lembre-se de que você não pode alcançar a saúde, a felicidade e o sucesso se queixando."[4]

Há muita gente que reclama no mundo: mais de 10 milhões de pessoas já aceitaram o desafio, o que também deve ter resultado em um volume considerável de vendas de pulseiras roxas.

Mas o que os estoicos teriam pensado sobre essa abordagem? Meu palpite é que a teriam aprovado, especialmente porque enfatizavam exercícios práticos e cognitivos. Epicteto, por exemplo, ensinou seus alunos a romper os maus hábitos de forma gradual, ao longo de 30 dias. Quando alguém chegava ao fim desse período sem repetir o mau hábito, ele sugeria fazer um agradecimento aos deuses.[5]

Além disso, embora a maioria das pessoas reclame, esse tipo de exercício seria benéfico, e talvez até necessário, para aquelas que não conseguem parar de reclamar. O psicólogo Guy Winch conta uma história divertida sobre elas: "Otimistas veem o copo meio cheio. Pessimistas veem o copo meio vazio." Mas quem vive reclamando vê:

> Um copo ligeiramente lascado, com água que não está fresca o suficiente, provavelmente porque saiu da torneira, embora eu tenha pedido água engarrafada, e... espere... Há uma mancha na borda também, o que significa que o copo não foi bem lavado e, portanto, provavelmente vou pegar uma virose. Por que essas coisas sempre acontecem comigo?[6]

O que um estoico clássico veria?

Um estoico veria um copo d'água, que seria considerado um presente do universo, e seria grato por suas propriedades revigorantes. Porque, quando você reclama, não está mais vivendo em harmonia com a natureza. Pelo contrário, de acordo com os estoicos, sua falta de gratidão representa a condenação da harmonia e da bela ordem do cosmos que, para início de conversa, criou você.

Isso nos leva a uma compreensão muito mais profunda de por que você não deve reclamar, o que não descarta as muitas razões psicológicas óbvias contra queixas. Ao contrário, aponta para uma visão mais profunda da natureza humana e de nosso próprio relacionamento com o mundo.

"SIGA A NATUREZA" E NÃO RECLAME

Zenão, o fundador do estoicismo, disse que o objetivo de sua filosofia era "seguir a natureza" ou "viver de acordo com a natureza". Se pudermos viver de acordo com a natureza, isso resultará na "fluidez da vida", o que implica uma espécie de felicidade ou tranquilidade da mente.[7]

Essa ideia de "seguir a natureza" também foi adotada pelos estoicos romanos posteriores, como Sêneca, Epicteto e Marco Aurélio. Mas, como você já deve imaginar, ainda que a recomendação "Siga a natureza" possa parecer bonita, seu significado é muito mais profundo do que um simples lema.

Segundo os estoicos, para seguirmos a natureza precisamos compreender tanto a natureza humana quanto o cosmos em geral. E, como observaram, não podemos nos compreender plenamente sem antes compreender o universo maior.

Para os estoicos, o mundo é permeado por *logos*, que tem várias traduções, entre elas "racionalidade" e "inteligência". O que torna os seres humanos únicos, enfatizavam eles, é que somos criaturas capazes de pensamento racional, e é isso que nos difere dos outros animais. A racionalidade nos permite fazer ciência, criar sociedades baseadas na lei, enviar astronautas ao espaço, escrever cartas de amor e muitas outras coisas boas. Mas a razão pela qual podemos compreender a natureza cientificamente é que existe uma ligação entre a racionalidade presente nas leis da natureza, a estrutura do mundo e a estrutura racional de nossa mente. No fim das contas, a crença estoica no *logos* significa que existe uma estrutura racional na natureza e em nossa mente.

Por sermos criaturas racionais, nascemos com a tarefa de tentar entender o mundo – a Natureza como um todo –, bem como nossa própria natureza humana e as relações entre o mundo, em sentido amplo, e nosso eu interior. Considerando que, para os estoicos, a racionalidade é a característica definidora da natureza humana, nascemos para desenvolver nossas capacidades racionais. Isso nos permitirá viver em paz, de modo ponderado, desenvolver um bom caráter interior e contribuir para a sociedade.

Não há nada na crença estoica fundamental no *Logos* que não seja científico, assim como não há nada na crença estoica no Destino que seja irracional. Embora Destino possa soar fantasmagórico ou supersticioso em um primeiro momento, esse conceito se refere apenas às cadeias de causa e efeito que existem na natureza, nas quais os cientistas da atualidade também acreditam. Na verdade, a maior parte da física clássica na época de Newton era baseada na ideia de Destino: causa, efeito e relações deterministas. A crença estoica no Destino significa que devemos reconhecer e honrar as leis da natureza, que são inevitáveis.

Embora Logos e Destino sejam conceitos indiscutíveis, uma ideia estoica que traz dificuldade a alguns leitores (e estoicos) atuais é a *Providência*, porque ela é vista como uma noção religiosa, o que é um erro de interpretação. É importante ressaltar que o conceito estoico de Providência nada tinha a ver com a ideia cristã de Providência Divina, e os estoicos não acreditavam em um Deus cristão que existe fora da natureza. Para eles, Deus *era* a natureza.

A palavra grega para "providência" é *pronoia*, que significa "conhecimento prévio", e pessoalmente acredito que vem do estudo dos organismos vivos. Como ainda podemos perceber nos dias de hoje, os organismos vivos são repositórios de inteligência biológica e possuem a capacidade de curar a si mesmos, o que implica um tipo de conhecimento. Por exemplo, se eu fizer um corte na mão, esta "sabe" como se curar. Se você cortar a cabeça de uma minhoca, ela "sabe" como regenerar o corpo. Há também uma quantidade incrível de inteligência biológica incorporada no processo de desenvolvimento de um embrião humano até se desenvolver e se tornar uma pessoa adulta. Hoje, compreendemos que essa inteligência é um subproduto da evolução biológica, o que não a torna menos surpreendente ou admirável.

De acordo com a perspectiva dos primeiros estoicos gregos, no entanto, hoje estaríamos errados ao tratar no Logos, Destino e Providência como conceitos diferentes. Para os primeiros estoicos, esses termos significavam a mesma coisa. De acordo com fontes antigas, "Natureza", no "Logos", "Destino" e "Providência" eram vistos como idênticos.[8]

Os estoicos contemporâneos às vezes rejeitam esses termos, que consideram anticientíficos, e quando fazem isso estão, muitas vezes, ignorando algo essencial. Uma dimensão significativa desses conceitos antigos é o tipo de *atitude* que eles promoveram – uma forma racional, ainda que inspirada, de enxergar e analisar o mundo. E essa atitude estimulou o desenvolvimento da ciência durante séculos. Para os estoicos e alguns outros filósofos gregos, *vivemos em uma tapeçaria do cosmos incrivelmente bela, governada por leis e harmonias universais, das quais nós mesmos surgimos e às quais estamos intimamente ligados.* Além disso, por meio da racionalidade, somos capazes de compreender o universo do qual surgimos. É importante ressaltar que essa atitude filosófica antiga não está em conflito com a ciência moderna – a própria ciência é uma consequência dela.

Albert Einstein, em seu famoso ensaio sobre religião e ciência, referiu-se a isso como "sentimento religioso cósmico", que ele descobriu ser "o motivo mais forte e nobre da pesquisa científica". Os estoicos teriam concordado com ele.[9] Independentemente dos termos utilizados pelos estoicos, o modo como viam o cosmos e nosso lugar nele permanece significativo. O próprio Einstein rejeitou a crença em um Deus individual (assim como os estoicos), e ele não era religioso no sentido tradicional. Apesar disso, observou que todos os que fizeram avanços genuínos na ciência eram "movidos por uma profunda reverência pela racionalidade que se manifestava na existência" - uma observação bastante estoica, de fato.[10]

Em última análise, podemos perceber que os estoicos valorizavam muito a natureza. Eles acreditavam que a natureza não faz nada em vão e que existe uma espécie de racionalidade em suas leis; por causa dessa racionalidade, a natureza é totalmente boa. Em outras palavras, se pudéssemos ver e entender como o universo funciona, de um ponto de vista cósmico, o perceberíamos como um modelo belo e perfeito de excelência.

A ESSA ALTURA, PODEMOS compreender plenamente o que os estoicos querem dizer com "Seguir a natureza". Para levar uma vida feliz, devemos alinhar nossas mentes e vontades com a natureza. Dessa forma, vamos nos esforçar para sermos racionais e virtuosos, exatamente como a natureza, no ponto de vista deles. Aceitaremos o Destino e honraremos todas as leis da natureza sem reclamar. E, com isso, a vida fluirá suavemente, porque viveremos em harmonia com a realidade, da maneira mais profunda possível, como seres humanos racionais.

Embora sejamos mortais e frágeis, e vivamos em um mundo em que a dor e o sofrimento nos atingem como indivíduos, também existe algo perfeito no funcionamento da natureza vista como um todo. Portanto, quando reclamamos, estamos expressando decepção com a ordem perfeita da natureza.

Por isso os estoicos se opunham tanto à reclamação. Considerando que tudo na natureza segue um padrão racional, ainda que não possamos enxergar sua totalidade de uma só vez, reclamar de um acontecimento banal é insultar a bondade do próprio universo.

Como se explicasse a ordem de Zenão para "seguir a natureza", Epicteto escreveu: "Não queira que as coisas aconteçam de acordo com seus desejos, mas deseje que elas aconteçam como devem acontecer. Assim, sua vida fluirá suavemente."[11] Essa é uma parte essencial da fórmula estoica de Epicteto para a felicidade, a liberdade e a paz de espírito. Em outras palavras, precisamos aceitar o Destino e tudo o que as leis da natureza estão destinadas a trazer. Caso contrário, nunca teremos paz de espírito.

No princípio da escola estoica, seus filósofos se utilizavam de uma história para ilustrar a natureza do Destino. Esta história envolve um cachorro preso a uma carroça por uma guia. À medida que a carroça desce pela estrada, o cachorro pode correr ao lado dela, alegre e ofegante. Mas se o cão não conseguir acompanhar a carroça, será arrastado pela estrada, o que será bem doloroso.[12] Essa é uma metáfora sobre seguir a natureza e aceitar o Destino. Você pode tentar resistir ao Destino, mas não terá sucesso: será arrastado por ele, ainda que lute. Nas palavras de Cleantes (*c.* 330-*c.* 230 a.C.), o segundo líder da escola estoica de Atenas: "O Destino guia aqueles que o aceitam, mas arrasta os que o recusam."[13]

Dito isso, os estoicos não eram "fatalistas" que acreditavam que não é possível mudar o mundo. Como fazemos parte da teia do Destino, nossas ações e decisões influenciam, por meio de causa e efeito, o futuro e o Destino de outras pessoas. O importante é ter em mente que o destino e o funcionamento da natureza nos colocarão em certas situações fora do nosso controle. Mas precisamos aceitar essas situações ou reagir a elas de modo harmonioso, sem reclamar, pois são determinadas pela natureza, que está além de qualquer reprovação.

Sêneca explicou que, ao nascer, assinamos um contrato com a vida, e parte desse contrato envolve aceitar que certas coisas vão acontecer. E não adianta reclamar ou se chatear com esses inconvenientes. Um exemplo evidente disso é a morte, porque todas as pessoas que nascem estão fadadas a morrer. Em vez de resmungar ou se lamentar sobre a morte, devemos aceitá-la de forma pacífica e perceber que ela é parte da própria vida.

Em um de seus comentários mais divertidos, Epicteto disse que, se seu nariz está escorrendo, é inútil reclamar. Como o universo nos deu duas mãos, o melhor a fazer é assoar o nariz.

Nas *Cartas*, Sêneca retrata seu amigo Lucílio como alguém que reclama um pouco. E, como bom terapeuta estoico que era, o filósofo ajuda Lucílio a perceber a inutilidade do hábito. Por exemplo, no início da Carta 96, Sêneca responde a Lucílio explicando por que uma de suas reclamações é um erro:

> Você ainda está chateado com alguma coisa – continua reclamando. Não percebe que as únicas coisas ruins nessas situações são sua contrariedade e suas reclamações? Se quiser saber o que penso a respeito, nada pode chatear uma pessoa, a menos que ela considere que algo perfeitamente natural deve ser motivo de chateação. No dia em que eu não conseguir tolerar outras coisas, não vou mais tolerar a *mim mesmo*.[14]

Sêneca, então, descreve as situações irritantes que todos devem enfrentar como sendo apenas "a taxa cobrada por estarmos vivos":

> Aceitarei o que quer que aconteça comigo, sem tristeza ou infelicidade. Pagarei todos os meus impostos sem reclamar. Todas as coisas que lamentamos e das quais recuamos são apenas os impostos da vida – coisas, meu caro Lucílio, que você nunca deve esperar evitar, nem buscar evitar. Uma vida longa inclui todas essas coisas, assim como uma longa jornada inclui poeira, lama e chuva.[15]

Para Sêneca, não faz sentido se queixar de coisas banais que deveriam ser esperadas, em vez de viver de acordo com a natureza e aceitar os solavancos inevitáveis na estrada da vida:

> Ficar chateado por causa dessas coisas é tão risível quanto reclamar por se molhar em público ou pisar na lama. Nossa experiência de vida é como estar em uma casa de banhos, em meio a uma multidão ou em uma viagem. Algumas coisas serão atiradas em você e outras o atingirão acidentalmente... É em meio a incidentes desse tipo que você deve enfrentar essa jornada cheia de percalços.[16]

Ele observa: "Não devemos nos surpreender com nenhuma das coisas que nascemos para enfrentar. Nem devemos reclamar, pois elas são enfrentadas por todos."[17]

O filósofo do século XIX Friedrich Nietzsche usou a expressão *amor fati*, "ame seu destino", mas a ideia remonta aos estoicos. Sêneca disse que, como estoico, você deveria "vivenciar tudo o que lhe acontece como se desejasse que aquilo acontecesse com você", porque o universo autorizou tais acontecimentos na sua vida. "Chorar, reclamar e resmungar", escreveu ele, "são rebeliões" contra a ordem perfeita do universo que nos trouxe à existência e contra as leis da natureza que sustentam o mundo.[18] Esse é um conselho semelhante ao de Epicteto, citado anteriormente: "Não queira que as coisas aconteçam de acordo com seus desejos, mas deseje que elas aconteçam como devem acontecer."

A mais bela expressão do *amor fati*, ao menos para mim, vem, porém, destas encantadoras frases de Marco Aurélio, que quase se assemelham a uma prece:

> Tudo que está em harmonia contigo, ó Universo, também me convém. Nada vem cedo ou tarde demais para mim, se vier no momento oportuno para ti. Tudo que tuas estações trazem para mim é fruto, ó Natureza. Todas as coisas vêm de ti, estão em ti e voltam para ti.[19]

Esse é, com certeza, um exemplo de como seguir a natureza e celebrar sua sabedoria e seu bem, vindo de um homem que passou por muitos sofrimentos pessoais. (De seus 13 filhos, apenas cinco sobreviveram até a idade adulta.) Podemos sentir nessas palavras a profunda gratidão de Marco Aurélio por tudo que recebeu do universo belo e generoso do qual ele também fazia parte.

Para um estoico, tudo o que recebemos do universo é uma dádiva, um empréstimo, que um dia precisaremos devolver. Mas nossa atitude mental mais profunda deve ser de gratidão. Porque, mesmo se tropeçarmos ao longo da jornada da vida ou se um pouco de lama respingar em nós, não há motivo para reclamar do belo mundo que nos permitiu existir.

CAPÍTULO 8

A batalha contra a Fortuna: como sobreviver à riqueza extrema e à pobreza

> O pobre não é aquele que tem muito pouco, mas alguém que sempre anseia por mais.
>
> Sêneca, *Cartas* 2.6

NA MONTANHA-RUSSA DA FORTUNA

Todo mundo tem algum grau de interesse em dinheiro. E qual é o problema nisso? Todos nós temos contas a pagar. Mas quanto de dinheiro é muito pouco? Que quantia é excessiva? Todos terão a própria opinião a esse respeito, mas a de Sêneca é especialmente interessante. Ele foi uma das pessoas mais ricas de sua época, mas tinha plena consciência dos perigos psicológicos e morais envolvidos na busca do sucesso financeiro. Ele também perdeu metade de sua riqueza, praticamente da noite para o dia. Na montanha-russa da Fortuna, o que sobe muitas vezes desce.

Fortuna era uma deusa romana e, como já foi dito, em maiúscula, pois, para Sêneca, era quase um poder cósmico, como o Destino. O problema estoico com a Fortuna, seja boa ou má, é que ela não depende de nós nem está totalmente sob nosso controle. Como Sêneca observou, o que a Fortuna lhe dá não é verdadeiramente seu. Pode ser tirado de você. Por outro lado, o que é realmente bom – um caráter bem desenvolvido – vem de dentro e é todo nosso.

Sêneca escreve longamente sobre a Fortuna, e não deixa dúvidas de que a considerava seu maior inimigo. "Os lugares mais altos", disse ele, "são aqueles atingidos pelo raio".[1] Ele explica que as pessoas que enriquecem repentinamente muitas vezes perdem o equilíbrio psicológico. Elas "imaginam que sua boa sorte nunca terá fim e que seus ganhos não apenas continuarão, como aumentarão. Esquecendo-se da gangorra em que se firmam os assuntos humanos, elas têm certeza de que a sorte permanecerá estável apenas para elas".[2]

Como sabemos, o mundo está cheio de histórias sobre ganhadores de loteria que perderam tudo o que ganharam. Quando alguém obtém grande riqueza rapidamente, nem sempre essa pessoa tem habilidade ou equilíbrio mental para administrar os ganhos. Na época da bolha da internet, no fim da década de 1990, conheci uma corretora de ações amadora que transformou 50 mil dólares em mais de 1 milhão em um período muito curto e depois perdeu tudo. Ela teve medo de vender as ações e ter que pagar impostos sobre os lucros. Com isso, ela acabou perdendo tudo quando a bolha entrou em colapso. Também existem muitas histórias de celebridades que perderam grandes quantias devido à vida luxuosa, à extravagância e à falta de moderação. Michael Jackson, por exemplo, tinha entre 400 e 500 milhões de dólares em dívidas quando morreu.[3]

Na Idade Média, a Roda da Fortuna era um famoso símbolo da imprevisibilidade da riqueza (veja a Figura 5). Nas ilustrações, a Fortuna ou a Sorte, geralmente de olhos vendados, gira um aparelho semelhante a uma pequena roda-gigante. A roda eleva as pessoas pobres, que estão na parte de baixo, à riqueza extrema dos reis, ao mesmo tempo que arrasta as ricas do topo para o nível dos pedintes. Como escreveu Sêneca: "Na vida, todas as classes estão sujeitas a mudanças, e tudo o que acontece aos outros também pode acontecer a você."[4] Além disso, como as coisas vêm e vão, ninguém deveria se sentir excessivamente confiante quando tudo vai bem nem desistir quando vai mal.[5]

Figura 5: Roda da Fortuna. A roda da deusa Fortuna eleva os pobres à riqueza dos reis ao mesmo tempo que arrasta os ricos para a pobreza.

O próprio Sêneca conhecia as oscilações selvagens da Fortuna. Como mencionei na introdução deste livro, ele alcançou riqueza e fama como senador romano no início da carreira, mas depois o imperador Cláudio o exilou na ilha da Córsega por oito anos. Isso teve como consequência a perda de metade de sua riqueza e a separação de sua esposa logo após perderem o único filho. Então, depois de finalmente retornar a Roma, Sêneca conseguiu uma fortuna ainda maior como conselheiro do imperador Nero.

Pouco depois de ser exilado na Córsega e sofrer tantas perdas, Sêneca escreveu a seguinte mensagem para a mãe, Hélvia, refletindo sobre sua experiência:

> Nunca confiei na Fortuna, mesmo quando ela parecia oferecer paz. Todas aquelas bênçãos que ela generosamente me concedeu – dinheiro, posição e influência – guardei em um lugar de onde ela poderia pegá-las de volta sem me perturbar. Eu me mantive a uma grande distância dessas coisas; e assim ela as levou embora, mas não as arrancou de mim. Ninguém jamais foi destruído pela Fortuna, a menos que antes tenha sido enganado por suas dádivas.[6]

ANTES QUE O DINHEIRO GOVERNASSE O MUNDO, TUDO ERA DE GRAÇA

Na Carta 90, Sêneca conta uma história sobre a vida simples e mais livre das pessoas em eras anteriores, antes do surgimento de uma civilização complexa. A história de Sêneca gira em torno da ideia de *riqueza natural*: a natureza fornece gratuitamente aquilo de que suas criaturas precisam. Por exemplo, tudo que um animal necessita para sobreviver está disponível em seu hábitat natural e requer pouco esforço para ser obtido.

Isso também é verdadeiro, afirma Sêneca, para os primeiros seres humanos. "A natureza não nos impôs nenhuma exigência dolorosa", escreve ele. "Nada de que necessitávamos para viver era difícil de obter. Tudo era preparado para nós desde o nascimento." Ele continua:

> Fomos *nós* que tornamos as coisas difíceis para nós mesmos, por desprezar o que era fácil. Moradia, abrigo, roupas e comida – coisas que agora se tornaram um grande negócio – estavam bem à mão, de graça e facilmente disponíveis. Tudo se baseava na verdadeira necessidade. Fomos nós que tornamos todas essas coisas caras e alvos de inveja. Fomos nós que dificultamos a obtenção de tudo por meio de muitas e amplas habilidades técnicas.[7]

A ideia de que "as necessidades naturais são poucas" permeia todas as obras de Sêneca. Somos nós que tornamos as coisas muito mais difíceis do que o necessário. Embora a vida dos primeiros seres humanos tenha sido rústica, eles viviam com segurança e liberdade sob seus telhados de palha. Mas aqueles que moram sob telhados de mármore e ouro vivem em estado de servidão. Ao falar sobre os romanos ricos de sua época, Sêneca observa: "O parâmetro natural que limitava nossos desejos às verdadeiras necessidades, dentro de nossas possibilidades, agora desapareceu. Hoje, se alguém quer apenas o que é suficiente, é visto como inculto e extremamente pobre."[8]

No fim das contas, foi a ganância humana que deu início à pobreza. Desejando mais do que o necessário, perdemos tudo. Nos primeiros tempos, de acordo com Sêneca, as pessoas cuidavam umas das outras de modo igualitário, até que as pessoas mais poderosas e gananciosas "passaram a dominar as mais fracas". Elas "esconderam coisas para o próprio uso" e "começaram a impedir que as outras obtivessem o necessário à vida".[9] Depois, à medida que as coisas se desenvolveram ainda mais, as pessoas ficaram obcecadas pela ideia de riqueza e seduzidas pelo desejo de ostentar sua fortuna de forma extravagante. Isso é o que hoje chamaríamos de ideal de "fama e fortuna" e, como Sêneca escreve, "toda essa prosperidade só quer ser notada".[10]

Em vez de apoiar a abordagem "fama e fortuna", que causa sofrimento humano, Sêneca defendeu o caminho da simplicidade voluntária. Como ele escreveu a Lucílio: "Você deve medir todas as coisas por suas necessidades naturais, que podem ser satisfeitas de graça ou a um custo muito baixo... A natureza não deseja nada além de um pouco de comida."[11]

OS PERIGOS DA RIQUEZA EXTREMA

Qualquer pessoa que tenha se entregado ao poder da Fortuna se pôs ao alcance de uma grande e inevitável turbulência mental.

– Sêneca, *Cartas* 74.6

Para Sêneca, são muitos os perigos da riqueza extrema. Epicuro, o fundador de uma escola rival do estoicismo, escreveu que "para muitas pessoas, a aquisição de riquezas não foi o fim de seus problemas, apenas uma mudança de problema".[12] Embora Sêneca discordasse de muitos ensinamentos de Epicuro, esse não estava entre eles.

Como Timothy Ferriss, escritor especializado na área de negócios, e outros já observaram, quando as pessoas ficam ricas de repente, os traços de seu caráter são ampliados. Pessoas mentalmente estáveis, como Warren Buffett – cujo patrimônio era de cerca de 83 bilhões de dólares quando este livro foi escrito –, não se deixam intimidar por uma grande riqueza. Buffett ainda mora em uma casa que comprou por 31,5 mil dólares em 1958. Também costuma comer fast-food – do tipo McDonald's – e dirige um carro barato. Esses fatos indicam que seu estilo de vida é bastante sóbrio e que ele não se sente atraído por uma vida extravagante. Mas outras pessoas, quando enriquecem, ficam mais prepotentes e potencializam os traços negativos de caráter, que Sêneca catalogou em detalhes. Como ele observa, a riqueza extrema torna muitas pessoas instáveis, mas as afeta de maneiras diferentes: "A prosperidade é uma condição de inquietude, que atormenta a si mesma. Ela perturba o cérebro em mais de um sentido, porque afeta as pessoas de maneiras diferentes. Algumas ela impele na direção do poder; outras, na direção da autoindulgência. Algumas ela infla; outras, amolece e deixa totalmente incapacitadas."[13]

Hoje nos referiríamos a essa condição como *inflação psicológica*. Sêneca escreve em outro texto que a grande riqueza "infla a mente, gera arrogância, atrai inveja e perturba a razão" a tal ponto que as pessoas adoram ser reconhecidas como ricas, mesmo que essa reputação possa prejudicá-las.[14]

Um dos maiores perigos da riqueza extrema é que ela encoraja alguns a se tornarem dependentes do luxo e do excesso e a viverem além de suas posses. Em outras palavras, a virtude da moderação é jogada pela janela. Na pior das hipóteses, o que antes era luxo se transforma em necessidade. Em um estudo sobre o excesso descontrolado, Sêneca conta a história de um romano apaixonado pelo luxo, Apício, que gastava qualquer quantia para obter os alimentos mais refinados do mundo. Depois de gastar 100 milhões de sestércios romanos (uma quantia astronômica) com o vício em jantares elegantes, ele descobriu que "só" lhe restavam

10 milhões. Com medo de morrer "pobre" e sem suas refeições extravagantes, Apício se matou.[15]

Outro problema associado à extrema riqueza é o desafio de mantê-la. As pessoas ricas, assim como o resto de nós, muitas vezes vivem além de suas posses. Mas a Fortuna é caprichosa. Depois de adquirir uma propriedade cara, você precisa mantê-la, o que requer um fluxo de renda elevado e contínuo. "Preservar uma grande riqueza é uma tarefa angustiante", escreveu Sêneca, e "uma grande prosperidade é uma grande servidão".[16] Manter uma grande riqueza requer mais riqueza, e quanto maior a fortuna de alguém, mais provável será o colapso, o que traz preocupação e sofrimento para qualquer pessoa que viva além de suas posses.

Como o filósofo estoico contemporâneo William B. Irvine observa, fama e fortuna andam juntas porque ambas são sinais de prestígio social. Mesmo que a maioria de nós não consiga alcançar fama e fortuna em grande escala, quase todas as pessoas buscam prestígio social: "Se a fama universal lhes escapa, elas buscam fama regional, renome local, popularidade dentro de seu círculo social ou destaque entre colegas. Da mesma forma, se não podem acumular uma fortuna em termos absolutos, procuram riqueza relativa: querem estar em situação financeira melhor do que os colegas de trabalho, vizinhos e amigos."[17]

Certas coisas nunca mudam, e, como Sêneca observou há 2 mil anos, a busca por prestígio social leva à inveja, à ganância e à ambição. "Não importa quanto você possui", observa ele, "se alguém tem mais, você sente que sua riqueza é insuficiente. Sua loucura por sucesso é tão grande que, se alguém estiver à sua frente, parecerá que não há ninguém atrás de você".[18] A riqueza pode inspirar ganância, porque quanto mais dinheiro você tem, mais você pode ganhar.

Por fim, outra fonte de sofrimento gerada pela riqueza é a dor da perda. Sêneca sugere que "devemos ter em mente que dói menos não ter riqueza do que perdê-la. Então, perceberemos que, já que na pobreza há menos a perder, a probabilidade de que ela nos atormente é menor".[19]

COMO SUPERAR A PREOCUPAÇÃO FINANCEIRA: A "PRÁTICA DA POBREZA" E A SIMPLICIDADE VOLUNTÁRIA

> Se você deseja ter tempo livre para sua mente, precisa ser pobre ou viver de forma semelhante ao pobre. O estudo não pode ser útil sem a cautela com a vida simples, e a vida simples é a pobreza voluntária.
>
> Sêneca, *Cartas* 17.5

Se você já se preocupou com dinheiro, não está sozinho. De acordo com uma pesquisa recente realizada pela H&R Block, 59% dos norte-americanos "têm sempre algum grau de preocupação com dinheiro".[20] Sêneca enfatizou que mesmo as pessoas mais ricas se preocupam com dinheiro, o que é verdade também nos nossos dias. Segundo o planejador financeiro Jeremy Kisner, "uma pesquisa recente revelou que 48% dos milionários e 20% das famílias com patrimônio líquido altíssimo (5 milhões a 25 milhões de dólares) ainda se preocupam com a possibilidade de ficar sem dinheiro na aposentadoria". Se você ler o breve artigo dele, "Why Rich People Worry about Money" (Por que as pessoas ricas se preocupam com dinheiro), perceberá que pouco mudou desde a época de Sêneca, incluindo os motivos de preocupação.[21]

Como sugeri no Capítulo 3, é totalmente válido ter *cautela* financeira, mas *preocupação* não é o melhor termo a ser usado. Eliminando a palavra "preocupação" do meu vocabulário e a substituindo por "cautela", tornei-me mais resiliente em termos emocionais, porque a preocupação é uma emoção negativa. A cautela, por outro lado, tem origem na razão. Embora possa parecer uma mudança muito pequena, os resultados foram perceptíveis.

A julgar pelas cartas de Sêneca, seu amigo Lucílio tinha uma preocupação crônica com problemas financeiros, embora tudo leve a crer que fosse rico. Lucílio estava sempre atormentado, se perguntando como poderia se aposentar e levar uma vida com mais ócio. E, como você deve imaginar, Sêneca tinha muitos conselhos para ele. Como ocorre com os multimilionários de hoje que se preocupam com a possibilidade de ficar sem dinheiro, Sêneca apontou que as preocupações de Lucílio eram principalmente psicológicas.

Muitas pessoas hoje têm uma atitude de cautela totalmente válida no que diz respeito à aposentadoria. Ainda assim, é difícil acreditar que isso também se aplicava a Lucílio, o rico amigo de Sêneca que parecia um especialista em inventar desculpas. Para tratar dessa questão, Sêneca dedicou várias cartas a tentar desconstruir as convicções de seu amigo sobre sua real necessidade de dinheiro, bem como sua visão de que a "pobreza" era algo terrível. Embora Sêneca usasse o termo "pobreza voluntária" para descrever um bom estilo de vida, hoje traduziríamos esse conceito como *simplicidade voluntária*. Para Sêneca, a pessoa que tem o bastante é verdadeiramente rica, e o modo mais rápido de se tornar rico é desistir da busca sem fim pela riqueza.

Sêneca encorajou Lucílio a não adiar viver o momento presente e sugeriu que ele moderasse seu estilo de vida bem-remunerado, porém insatisfatório:

> Você afundou em um tipo de vida que nunca acabará com seus sofrimentos e sua servidão... Caso se aposente de seu cargo público, você terá menos coisas, mas a vida será mais gratificante. Do jeito que a situação está, você tem um monte de coisas se acumulando à sua volta, mas elas não o satisfazem. Então, o que você prefere: abundância no meio da escassez ou escassez no meio da abundância? A prosperidade não é apenas gananciosa – ela está sujeita à ganância de estranhos. Enquanto nada for suficiente para você, você não será suficiente para os outros.[22]

Como ele destaca ao longo das cartas, somente uma pessoa sábia sente-se satisfeita com o que tem, e as coisas comuns, como comida simples, podem proporcionar grande prazer. Se você deseja ficar rico instantaneamente, sugere Sêneca, pare de pensar em ter mais dinheiro e, em vez disso, reduza seus desejos.

Em seguida, ele dá a Lucílio um projeto de "prática da pobreza" para que perceba como consegue sobreviver com pouco. Em uma passagem hoje famosa, popularizada por Tim Ferriss, Sêneca diz: "Reserve certo número de dias durante os quais você ficará satisfeito com a menor quantidade de comida, do tipo mais barato, e com roupas rústicas e surradas. Em seguida, diga a si mesmo: 'É *disso* que eu estava com medo?'"[23]

Trata-se, é claro, de uma espécie de "terapia de exposição" e treinamento para adversidades futuras. Sêneca diz a Lucílio:

> Suporte isso por três ou quatro dias, às vezes mais, para que seja não um jogo, mas uma prova. Acredite em mim, Lucílio: você ficará surpreso por se sentir bem alimentado com apenas alguns centavos e perceberá que sua paz de espírito não depende da Fortuna. Pois, mesmo quando está com raiva, a Fortuna garante o suficiente para nossas necessidades.[24]

Ele diz que Lucílio deveria "começar a negociar com a pobreza", como uma forma de encontrar contentamento ao acalmar sua cautela com as finanças.

Tim Ferriss conta que um amigo, Kevin Kelly, autor e cofundador da revista *Wired*, faz exatamente o que Sêneca descreveu. Às vezes, ele acampa em sua sala de estar por alguns dias em um saco de dormir e se alimenta apenas de mingau de aveia e café instantâneo. Isso o faz lembrar que pode sobreviver a qualquer situação. Aos 20 e poucos anos, Kelly viajou pelo mundo com uma mochila e quase nenhum dinheiro. E parece ter aprendido sozinho, sem a ajuda de Sêneca, a prática da simplicidade voluntária.

Eu testo a técnica de Sêneca inventando cafés da manhã baratos, mas deliciosos, começando com dois ovos cozidos, feijão e molho de tomate com pimenta. A versão gourmet inclui fatias de abacate com limão e um pouco de atum. Às vezes incluo tomates secos. De tempos em tempos, calculo o custo por pessoa de cada café da manhã. A preços de hoje, o café da manhã mais barato sai por 1,50 dólar, usando feijão enlatado. Um dos meus almoços saudáveis favoritos custa 2,50 dólares: um hambúrguer de peru com pasta de azeitonas pretas, servido com feijão e molho à parte. Embora muitas vezes eu gaste mais comendo fora, é psicologicamente reconfortante saber que poderia comer muito bem por 6 dólares ao dia ou menos de 200 dólares por mês. Claro, se eu escolhesse arroz com feijão, custaria ainda menos.

Para quem tem cautela em relação a questões financeiras, um exercício muitas vezes útil é calcular a menor quantia de dinheiro com que você poderia viver e, em seguida, experimentar seguir esse estilo de vida, pelo menos em parte.

Uma vida de simplicidade voluntária, como defendem os estoicos, também permite maior liberdade pessoal para perseguir seus próprios interesses. Como um estilo de vida simples reduz suas despesas, também pode reduzir sua jornada de trabalho, resultando em mais tempo livre.[25] Como Sêneca escreveu: "Basta uma pequena quantidade para satisfazer as necessidades da natureza. Ela se contenta com pouco. Não é nossa fome que nos custa caro, mas nossa ambição."[26] Ele também observou, escrevendo para a mãe, que "uma pessoa que vive dentro dos limites impostos pela natureza nunca se sentirá pobre; mas quem ultrapassar esses limites será perseguido pela pobreza, mesmo em meio à maior riqueza".[27] Sêneca disse: "O pior tipo de pobreza é o das pessoas que se sentem pobres em meio a suas riquezas."[28]

USANDO AS DÁDIVAS DA FORTUNA

> A virtude não vem da riqueza, mas a virtude torna a riqueza e todas as outras coisas boas para os seres humanos.
>
> Sócrates, *Apologia* de Platão 30A-B

Embora Sêneca percebesse como a riqueza extrema pode distrair e causar danos a pessoas de caráter instável, os estoicos costumavam ver a riqueza como uma vantagem: é algo que você deve desejar assim como a boa saúde, mesmo que a riqueza e a saúde não aprimorem seu caráter.

Como Sêneca defendia uma vida simples e ao mesmo tempo era extremamente rico, ele foi acusado de hipocrisia ao longo da vida.[29] No fim de seu livro *A vida feliz*, Sêneca se defende de seus críticos, argumentando contra eles. Mas todo o pensamento dele em relação a isso pode ser resumido em uma ideia simples: você pode usar as dádivas da fortuna, desde que não se torne servo delas.

Como Sêneca disse a Lucílio, ninguém pode ser verdadeiramente feliz até que tenha superado a riqueza. Por isso, as pessoas que possuem riqueza devem se convencer de que seriam felizes sem ela. Devem enxergar a riqueza como algo que pode desaparecer a qualquer momento.[30] Em outras palavras, se você possui riqueza ou alguma dádiva da Fortuna, não deve se apegar a ela.

O argumento mais convincente de Sêneca sobre o valor da riqueza é que uma pessoa rica pode usar seus recursos financeiros para praticar a virtude. Ou seja, quem possui riqueza pode usá-la com sabedoria para beneficiar outras pessoas e a sociedade.

Quando eu morava nos Estados Unidos, meu vizinho Fred era essa pessoa. Fred e suas filhas são proprietários de uma empresa de engenharia que, na época, faturava 220 milhões de dólares. Embora fosse rico, ele também tinha os pés no chão, era acessível e nunca demonstrou o mínimo de arrogância ou extravagância. Na verdade, apesar de ser bem-sucedido nos negócios, o principal interesse de Fred na vida era ajudar outras pessoas e tentar melhorar a sociedade. A fundação de sua família doou milhões para a comunidade local. Ele criou um programa do qual, justificadamente, se orgulhava muito e que treinou 30 pessoas nas habilidades de que precisavam para sair de programas de assistência social. Quando elas completaram o treinamento, ele as contratou – algo que o governo não foi capaz de realizar.

Um dia eu estava na casa dele, que além de uma bela vista do campo tinha um interior despretensioso em estilo rústico. Enquanto estávamos sentados tomando café, ele me confidenciou: "Adoro trabalhar nesses projetos para tornar as coisas melhores. Meu foco maior é tentar eliminar a pobreza, penso nisso com muita frequência."

Certa vez, quando passei por uma tragédia pessoal, Fred foi até minha casa para ver como eu estava. Enquanto conversávamos, ele disse: "Quando algo assim acontece, acho que você só pode colocar nas mãos de Deus." Fred era cristão, mas essas palavras soam bastante estoicas. Pois, como os estoicos disseram várias vezes: "Algumas coisas não dependem de nós."

Em todo caso, Fred é um exemplo perfeito do que Sêneca tinha em mente ao dizer que, se você possui riqueza, tem uma oportunidade fabulosa de praticar a virtude.

Quando Sêneca se dirigiu a seus críticos, que o acusaram de hipocrisia por ser rico, ele deu uma resposta perfeita e contundente, que me deixa encantado sempre que a leio: "Se minha riqueza desaparecer, levará apenas a si mesma. Mas, se vocês perderem a *sua* riqueza, ficarão em choque e sentirão como se tivessem perdido a si mesmos. Para mim, a riqueza tem sua importância, mas, para vocês, ela detém o mais alto dos valores. No fim das contas, eu possuo a riqueza, mas vocês são possuídos por ela".[31]

CAPÍTULO 9

Multidões cruéis e laços que unem

Você pergunta o que deve evitar acima de tudo? Uma multidão.

Sêneca, *Cartas* 7.1

HORA DE CORTAR ALGUMAS GARGANTAS

Quando disse a Lucílio que ele deveria evitar multidões, Sêneca tinha acabado de retornar dos jogos de gladiadores. Lá, ele viu e ouviu multidões torcerem para que outros seres humanos fossem assassinados diante de si, como forma de diversão.

Portanto, quando Sêneca falou que devemos "evitar multidões", ele não se referia apenas a aglomerações em geral. Estava falando sobre turbas ou multidões cruéis, que podem ter um efeito terrível em nosso caráter interior, especialmente se nos deixarmos arrebatar por suas emoções. Como ele escreveu para Lucílio:

> O contato com uma multidão é prejudicial: não há ninguém que não nos recomende ou transmita algum vício, ou nos suje com ele sem percebermos. Não falha: quanto maior a turba com a qual nos misturamos, maior o perigo.
>
> Mas nada é mais prejudicial ao bom caráter do que assistir às lutas públicas, pois aí o vício se insinua mais facilmente no decorrer de nosso prazer. Você entende o que quero dizer? Volto para

> casa mais ganancioso, mais presunçoso, mais autoindulgente e – pior do que isso – mais cruel e desumano, só porque estive perto de outros seres humanos.[1]

Sêneca explica que esperava "diversão, inteligência e relaxamento" nos jogos, mas tudo se transformou em massacre quando alguém levou criminosos condenados para a arena. De acordo com o relato vívido de Sêneca: "Os combates anteriores foram demonstrações de misericórdia. Mas agora o fingimento tinha acabado, e era puro assassinato. Os homens não têm armadura de proteção. Seus corpos inteiros ficam expostos e ninguém desfere um golpe em vão. Toda luta termina em morte, levada a cabo por espada e fogo."[2]

A certa altura, a turba estava ficando um pouco exaltada, gritando: "Mate! Chicoteie! Queime!" e assim por diante. "E, quando as lutas cessam para um intervalo, alguém anuncia: 'Hora de cortar algumas gargantas, para manter a ação!'"[3]

Com esse relato, Sêneca apresenta um argumento importante. Nosso caráter é profundamente influenciado por quem nos cerca na vida cotidiana. As pessoas também são fortemente afetadas por aquelas à sua volta quando estão em comícios políticos, eventos esportivos, religiosos, ou assembleias que se transformam em tumultos. Mas os modos como os outros nos afetam, seja em nossa vida cotidiana ou em uma multidão, são basicamente os mesmos: "Um único exemplo de autoindulgência ou ganância provoca muito dano. Um amigo próximo que é excessivamente mimado nos enfraquece e amolece. Um vizinho rico inflama nossa ganância. Um companheiro mesquinho transmite sua maldade, mesmo a um colega sincero e irrepreensível."[4]

Sêneca usa a história de sua ida aos jogos para trazer à tona a ideia de que a qualidade das pessoas que nos cercam é essencial para melhorar nosso caráter. Em breve exploraremos os pensamentos de Sêneca sobre isso, mas antes vamos analisar como as emoções e os comportamentos "viralizam" em grandes grupos, uma característica notável da nossa era da internet. Surpreendentemente, essa ideia de que o comportamento humano pode ser "viral" ou "contagioso" foi claramente descrita por Sêneca há 2 mil anos.

Usando uma metáfora da medicina, Sêneca explica que podemos ser "infectados" com as más qualidades dos outros. Durante uma epidemia, observou ele, podemos pegar uma doença simplesmente "respirando", por isso devemos escolher nossos amigos com muito cuidado, com base na saúde de seu caráter. "Faça um esforço para escolher os menos infectados", escreveu ele, porque "o começo da doença é expor coisas saudáveis à patologia".[5]

É importante destacar que Sêneca se refere a isso mais de uma vez. Ele escreve em outra obra: "Adquirimos hábitos daqueles que nos rodeiam, e, assim como algumas doenças se propagam pelo contato físico, a mente também transmite seus males aos que estão próximos." Por exemplo, uma pessoa gananciosa pode transmitir seu caráter infectado aos vizinhos. Felizmente, porém, "o mesmo acontece com as virtudes". Assim, embora pessoas com caráter imperfeito possam nos transmitir maus hábitos, pessoas com bom caráter, com quem estabelecemos amizade, podem nos tornar seres humanos melhores.[6]

Sêneca estava falando sobre o que atualmente seria descrito como uma forma de *influência inconsciente*. E, para que sejamos influenciados inconscientemente, não importa se o grupo é grande ou pequeno, ou se é apenas uma pessoa. O processo é semelhante em todos os casos.

Por exemplo, durante a infância, nunca gostei de estar perto de pessoas que fumavam. Na verdade, quando ainda era bem jovem, decidi que nunca seria fumante. Mas, no fim da adolescência, me vi cercado de colegas de trabalho e amigos que fumavam com frequência. Quando saíamos para almoçar, eles acendiam o cigarro enquanto bebíamos café, antes e depois de uma refeição. Não demorou muito e também comecei a fumar. Depois de um tempo, as coisas pioraram. Por fim, o hábito de fumar se transformou na dependência de um maço por dia. Aos 24 anos, porém, me libertei. Ficou muito difícil suportar o fumo e seus efeitos. Desenvolvi até uma dor constante no pulmão esquerdo. A nicotina, como apontam os cientistas, é tão viciante quanto a heroína. Parar de fumar foi extremamente difícil, mas, depois de ficar livre do cigarro por um mês, comecei a me sentir normal novamente.

Outro exemplo: mais ou menos na mesma época, eu convivia com meu melhor amigo, que era muito inteligente, mas também incrivelmente sarcástico. Comentários sarcásticos escapavam de sua língua da mesma forma que a água jorra de uma fonte. Infelizmente, por imitação inconsciente, aprendi com ele esse comportamento, que acabou se tornando um traço de caráter desagradável. Alguns anos depois, com esforço, consegui eliminá-lo.

Enquanto Sêneca falava sobre os perigos das multidões e como os hábitos são contagiosos, hoje falamos sobre coisas que "viralizam" nas redes sociais, o espaço onde atualmente nos comportamos como multidão. Se Sêneca estava certo sobre os perigos das multidões e como elas podem afetar negativamente nosso bem-estar mental, talvez devêssemos ser mais cuidadosos ao entrar na internet. Imagens hipnóticas, emoções cruas e raiva muitas vezes parecem se espalhar pelas redes e ganhar vida própria. Com o desenvolvimento total da internet, o jornalismo mais sério da era impressa entrou em declínio. Infelizmente, os relatos on-line que o substituíram costumam ser elaborados para causar indignação, obter cliques e viralizar. Isso não pode ser bom para nós nem como indivíduos nem como sociedade.

Nos anos 1800, os psicólogos sociais Gabriel Tarde (1843-1904) e Gustave Le Bon (1841-1931) iniciaram o estudo da psicologia das multidões, que desde então se tornou uma área relevante. Tarde e Le Bon introduziram a ideia de *mentalidade de rebanho*, também conhecida como *mentalidade de turba*, sobre a qual Sêneca escrevera cerca de 2 mil anos antes. Estudos científicos mostraram como as pessoas são naturalmente propensas a imitar o comportamento de outras, tanto no mundo físico quanto no virtual.[7]

Mas estudos científicos à parte, qualquer observador cuidadoso consegue perceber como o comportamento individual muitas vezes pode ser governado pela mentalidade de rebanho nas redes sociais. Um exemplo disso é a reação indignada de grupos que ainda nem conhecem todos os detalhes de um fato. De certa forma, as "turbas do Twitter", quando dominadas por um contágio emocional, não são menos perigosas do que as turbas físicas. Quando a indignação se espalha on-line, o desejo resultante de justiça por parte de turbas ou grupos vigilantes elimina a necessidade do devido processo legal, que a justiça real sempre exige. Existem hoje em dia inúmeros exemplos de ameaças de morte enviadas on-line publicamente (ou particularmente por e-mail) e pessoas tentando "cancelar" a carreira de outras pelas quais se sentem ofendidas. Já que qualquer pessoa pode ser afetada pelo contágio emocional, esse comportamento não se limita a nenhum dos lados do espectro político.

Em seu clássico *Psicologia das multidões* (1895), Gustave Le Bon considerou:

> As observações mais cuidadosas parecem provar que um indivíduo imerso durante certo tempo em uma multidão ativa – seja em consequência da influência magnética emitida pela multidão ou de alguma outra causa que desconhecemos – logo se vê em um estado especial que lembra muito o estado de fascinação em que o hipnotizado se encontra nas mãos do hipnotizador.[8]

Quando a mentalidade do grupo emerge e assume o controle, ele escreveu, um "indivíduo em uma multidão é um grão de areia em meio a outros grãos de areia, que o vento agita à vontade".[9]

Como Gabriel Tarde também observou, o fato de as pessoas inconscientemente imitarem umas às outras explica, pelo menos em parte, o comportamento de rebanho e o surgimento da mentalidade de grupo. E como um pensador mais recente, Tony D. Sampson, aponta, é por causa do poder hipnótico da imitação que emoções e sentimentos se espalham de forma viral pelas redes digitais, infectando outras pessoas.[10]

ANALISANDO INFLUÊNCIAS INVISÍVEIS

O interesse de Sêneca em como outras pessoas nos influenciam está relacionado à *socialização*, um termo que se tornou popular na década de 1940. Socialização é o processo pelo qual as pessoas assimilam os valores da sociedade ou as normas de um subgrupo menor.

Grande parte da socialização é intencional e deliberada, como quando os pais ensinam os filhos a ser educados, ter espírito esportivo e seguir regras – todas essas habilidades importantes para a vida. No entanto, outras formas de socialização são mais invisíveis e inconscientes: por exemplo, a maneira como as pessoas absorvem convicções e comportamentos por meio da mídia, da publicidade e de grupos. Por esse motivo, as pessoas que estudam a socialização se referem a *socialização deliberada* e *socialização inconsciente*.

Se quisermos nos tornar seres humanos bem desenvolvidos, a socialização é essencial. Mas *o modo* como somos socializados pode tender para o bem ou para o mal. Por exemplo, os pais podem socializar uma criança para que ela seja honesta e justa, mas outra família pode socializar uma criança para que ela tenha pontos de vista racistas. No mundo de Sêneca, a multidão sedenta por sangue que ele viu nas lutas, pedindo morte e destruição, havia sido socializada para se divertir com a violência. Colocado em linguagem psicológica contemporânea, à medida que a multidão clamava por morte, essa se tornou uma mentalidade coletiva dominada pelo contágio emocional. Sêneca foi um dos primeiros a perceber como as emoções podem ser contagiosas, o que hoje é uma área de estudo científico. Por exemplo, os pesquisadores descobriram que o bocejo é contagioso não apenas entre os humanos, mas até *entre espécies diferentes*: cães e chimpanzés podem ser contagiados por nossos bocejos.[11] Na verdade, esse tipo de comportamento imitativo contagioso deve ser muito profundo.

Embora todos os estoicos achassem que crenças ou opiniões falsas causam o sofrimento humano, alguns também perceberam que absorvemos essas crenças por meio de treino.[12] Por exemplo, muitos pais ensinam a seus filhos que o dinheiro é um bem incondicional. Mas Sêneca, que era o estoico de percepção psicológica mais profunda, viu que algo mais sério estava acontecendo. Podemos enxergar isso no modo como ele repete as metáforas sobre influências invisíveis, aplicadas à psicologia humana – "infecções invisíveis", "pestes" e "hábitos contagiosos" que, quando transmitidos "sem que estejamos conscientes", podem afetar nosso caráter. Hoje, podemos ver essas descrições como metáforas da socialização "invisível" ou inconsciente.[13]

A psicologia nos ensinou que alguns comportamentos, emoções, ideias e crenças podem ter uma "qualidade magnética" e ser transmitidos sem percepção consciente. Como também aprendemos com a hipnose, a *imitação* e a *sugestionabilidade* estão entre os fenômenos psicológicos mais potentes. Mesmo que os dois funcionem de maneira em grande medida inconsciente, são fatores primários para tornar os estados mentais contagiosos. Os psicólogos também observam que os costumes e comportamentos sociais são amplamente adotados por meio de imitação não intencional ou inconsciente.[14]

Embora Sêneca talvez tenha sido o primeiro pensador a descrever esse fato, suas percepções são ainda mais relevantes hoje. Por meio da comunicação de massa e das plataformas de mídias sociais, a influência da psicologia das multidões e do contágio emocional se estendeu muito além de algo que Sêneca pudesse ter imaginado. Para piorar, setores inteiros, como a publicidade e a mídia on-line, tentam ativamente manipular sentimentos, crenças e comportamentos das pessoas. Infelizmente, esse não é um esforço tímido: é abordado com rigor científico e baseado em "resultados mensuráveis". Cada vez que clicamos em um link viral ou alguma manchete que desperta indignação, em algum lugar, alguém - ou alguma máquina - está registrando a popularidade desse link.

O modo como Sêneca reagiria a este admirável mundo novo me parece bastante claro. Ele nos diria "Não sejam antissociais, mas deem um passo para trás" diante de qualquer coisa que se assemelhasse à psicologia das multidões ou ao pensamento de grupo. Certamente, devemos dar um grande passo atrás em relação a qualquer coisa que se pareça com manipulação psicológica. Quando disse "Evitem multidões", Sêneca não deu a entender que deveríamos evitar as pessoas em geral. Quis dizer que devemos nos proteger das influências às quais estamos expostos. Se Sêneca pudesse usar a terminologia atual, ele diria: "Não deixe seus pensamentos ou sua autonomia mental serem influenciados pelo poder hipnótico da mentalidade de grupo." De uma perspectiva estoica, o único antídoto para o condicionamento social inconsciente é proteger nossa autonomia como seres humanos racionais. E, para fazer isso, devemos nos engajar no pensamento crítico.

Nesse sentido, Sêneca estava certo: multidões *podem* ser perigosas.

A BUSCA POR BOAS COMPANHIAS

> Devemos escolher um ambiente saudável não apenas para nosso corpo, mas também para nosso caráter.
>
> Sêneca, *Cartas* 51.4

Se as multidões tendem a adotar um comportamento contagioso e prejudicial à saúde, qual é a alternativa? Depois de descrever o comportamento violento que viu no anfiteatro, Sêneca aconselhou Lucílio: "Passe algum tempo com aqueles que o tornarão melhor e receba aqueles que você pode melhorar. O processo é mútuo, e as pessoas aprendem enquanto ensinam."[15]

Se pessoas com caráter pouco saudável nos cercam, o primeiro e mais importante passo é escapar da presença delas. "Grande parte da sanidade", explica Sêneca, "consiste em abrir mão de quem encoraja a loucura e ficar longe de um companheirismo que seja mutuamente prejudicial".[16] O segundo passo é nos cercar de pessoas que tenham um bom caráter, mesmo que seja um pequeno grupo ou uma única pessoa. Isso porque as pessoas virtuosas podem nos influenciar tão fortemente quanto as pessoas perversas: "Assim como a saúde precária melhora em boa localização e clima saudável, é igualmente benéfico, para uma mente sem forças, associar-se a uma boa multidão."[17] Da mesma forma que as más qualidades podem ser transmitidas como um vírus, as boas qualidades também podem ser contagiosas. Sêneca teria concordado, pelo menos em princípio, com a famosa frase de Jim Rohn, escritor da área de negócios: "Você é a média das cinco pessoas com quem passa mais tempo." Portanto, devemos escolhê-las com cuidado.

Isso reforça o motivo de amizades e relacionamentos profundos serem cruciais na filosofia de Sêneca. Passar tempo com pessoas de bom caráter nos ajuda a progredir. "Pessoas boas são mutuamente úteis porque exercitam as virtudes umas das outras." Até um sábio estoico "precisa que suas virtudes sejam ativadas: pois, assim como ele se exercita, ele também ativa o exercício de outra pessoa sábia". Da mesma forma que lutadores e músicos praticam e treinam, pessoas sábias precisam de outras pessoas com quem praticar e aprender.[18]

Se quisermos ser sábios e ter um bom caráter, precisamos ter essas qualidades "ativadas" por outra pessoa. E, para ativar o bom caráter de outra pessoa, devemos ativar o nosso.

UMA SÓ HUMANIDADE: PERTENCIMENTO *VERSUS* TRIBALISMO TÓXICO

> Elimine o companheirismo e você destruirá a unidade da raça humana da qual nossa vida depende.
>
> Sêneca, *Dos benefícios* 4.18.4

Acreditando que a humanidade é uma só, devido à centelha de razão ou ao *logos* que todos compartilhamos, os estoicos deram uma contribuição monumental para o desenvolvimento dos direitos humanos. Ideias estoicas colaboraram para acabar com a servidão e garantir a igualdade das mulheres no Ocidente e em escala global.

Embora Aristóteles tivesse muitas ideias filosóficas excelentes e tenha ajudado a lançar as bases da pesquisa científica, algumas de suas ideias eram falhas e prejudiciais. Aristóteles acreditava que a plena razão era exclusiva dos homens. Em comparação, as mulheres tinham um grau menor de razão, enquanto os "servos naturais" e os "bárbaros" (ou não gregos) careciam completamente dela.[19]

Os estoicos, ao contrário, acreditavam que todas as pessoas possuem o mesmo nível de razão. Em outras palavras, todo ser humano – incluindo homens, mulheres, servos e pessoas de todos os países – possui razão, e a alma humana é "sempre e por toda parte a mesma".[20] Os primeiros cristãos adotaram essa ideia dos estoicos. Como o escritor cristão Lactâncio observou: "A sabedoria é dada à humanidade, é dada a todos sem discriminação... *Os estoicos entenderam isso a tal ponto que disseram que mesmo servos e mulheres deveriam fazer filosofia*".[21] Em outras palavras, da mesma forma que todos os seres humanos nascem com músculos, todos nascem com razão. Nossa forma de desenvolver esses dons é que depende de nós.

Embora não fosse um filósofo estoico, o escritor e estadista romano

Cícero (106-43 a.C.) estudou atentamente o estoicismo e era simpático a muitas ideias estoicas. Como filósofo político, Cícero adotou e desenvolveu a ideia estoica de *lei natural*, que teria uma longa e significativa história.[22] A lei natural se baseia na ideia estoica de que as leis da natureza são racionais e de que nossa racionalidade humana também se origina da natureza. Com base nessas premissas, Cícero pensava que as leis humanas deveriam ser evidentes para a razão: em última análise, deveriam ser baseadas no tipo de racionalidade que vemos refletida na natureza, no cosmos e em nosso próprio senso moral. Como filósofo político, ele definiu lei como "razão correta em harmonia com a natureza". Se pudéssemos ver as coisas com clareza, pensou Cícero, desejaríamos que as leis fossem idênticas em Roma, Atenas e todas as outras cidades, porque deveriam ser fundamentadas na razão universal.[23]

Em outras palavras, a lei natural é universal: não foi inventada por humanos. Diferente disso, foi descoberta. Em última análise, vem da Natureza, da Razão ou de "Deus" – três termos que eram sinônimos para os estoicos. De acordo com a lei natural, todas as pessoas têm direitos inerentes, ou direitos naturais, que são intrínsecos à natureza humana.

Figura 6: A longa evolução dos direitos humanos, dos estoicos à Organização das Nações Unidas (ONU).

Embora nossa ideia moderna de "direitos humanos universais" não existisse no mundo antigo, suas sementes existiam na ideia estoica de lei natural, defendida por Cícero.[24] Os estoicos já haviam estabelecido o conceito de igualdade humana. Então, ao longo dos séculos, a lei natural deu origem à ideia de direitos naturais, que por sua vez deu origem à noção moderna de direitos humanos (veja a Figura 6).[25] Em essência, os direitos naturais *são* direitos humanos.

As ideias estoicas de lei natural, conforme expressas por Cícero, influenciaram pensadores iluministas como John Locke (1632-1704) e inspiraram profundamente os fundadores dos Estados Unidos.[26] Thomas Jefferson (1743-1826), por exemplo, que escreveu o primeiro rascunho da Declaração de Independência, estava, como outros fundadores, totalmente familiarizado com as ideias de Sêneca, dos estoicos e de Cícero.[27] O próprio conceito de lei natural de Jefferson era estoico.[28] E, quando Jefferson escreveu as palavras "Todos os homens são criados iguais", suas palavras refletiam a ideia estoica de igualdade humana.[29]

Cícero explicou que uma função básica do governo era proteger a vida, a liberdade e a propriedade de seus cidadãos. Séculos depois, John Locke identificou "vida, liberdade e propriedade" entre os direitos naturais mais fundamentais das pessoas. Quando Thomas Jefferson escreveu a Declaração, os direitos naturais descritos por Locke se tornaram "a Vida, a Liberdade e a Busca da Felicidade". Como disse Jefferson:

> Consideramos estas verdades evidentes por si sós, que todos os homens são criados iguais, que são dotados por seu Criador de certos direitos inalienáveis, entre os quais estão a Vida, a Liberdade e a Busca da Felicidade.

Para Jefferson, os direitos que ele listou eram "evidentes" à razão e também aspectos das "Leis da Natureza". Esses direitos são naturais *e* humanos. E, como observou o historiador Joseph J. Ellis, as frases de Jefferson na Declaração são "o manifesto de direitos humanos mais citado na história registrada".[30]

Essa é, então, a trajetória histórica que liga as ideias estoicas ao desenvolvimento dos direitos humanos contemporâneos: da lei natural dos estoicos e de Cícero, passando por John Locke e outros filósofos do Iluminismo e indo até Thomas Jefferson, que se baseou em todos eles em suas proclamações sobre direitos humanos.

Jefferson foi obviamente uma figura importante, porém transitória, no processo de pôr fim à escravidão nos Estados Unidos. Por um lado, muitos acreditam que ele não viveu plenamente de acordo com seus elevados ideais (afinal, era um senhor de escravos e, portanto, estava em desacordo com os próprios princípios morais). Por outro lado, seu compromisso em pôr fim à escravidão era forte: ele consistentemente defendeu a erradicação da escravidão, propôs esquemas práticos para a emancipação e até promulgou uma lei, durante seu mandato como presidente dos Estados Unidos, que proibiu o comércio internacional de escravos. Como disse Martin Luther King Jr.: "O arco do universo moral é longo, mas se inclina na direção da justiça." Embora a escravidão não tenha chegado ao fim durante a vida de Jefferson, o longo arco histórico de erradicação da escravidão se originou e foi inspirado pelas ideias estoicas de lei natural e igualdade humana. Jefferson tornou essas ideias centrais na mente do público e promoveu vigorosamente a causa da abolição.

SE OS ESTOICOS ESTAVAM corretos e toda a família humana é uma só, por que há tanta divisão e polarização no mundo hoje? A resposta resumida é que essas divisões têm algo a ver com nossa história biológica como animais tribais. Pertencer a um grupo ou uma tribo é uma necessidade humana natural. Por definição, as pessoas que não têm a sensação de pertencimento experimentam solidão e alienação. As coisas se tornam problemáticas, porém, quando o tribalismo se torna tóxico.

Por aproximadamente 200 mil anos, nós, *Homo sapiens*, vivemos como criaturas tribais. Por causa dessa história evolutiva, é quase impossível eliminar o tribalismo. Mas, como observa o físico e filósofo Marcelo Gleiser, "uma tribo sem inimigos quase não é uma tribo por definição. Consequentemente, a disputa tribal e a guerra são parte do que define a humanidade". E ele continua, assinalando:

> *O maior inimigo contra o qual devemos lutar agora é nosso passado tribal.* O que nos serviu tão bem por milhares de anos agora é um conceito obsoleto. Não se trata mais da sobrevivência desta tribo ou daquela outra, mas do *Homo sapiens* como espécie.

> [...] Pela primeira vez em nossa história coletiva, precisamos pensar em nós como uma única tribo em um único planeta. [...] Somos uma única tribo, a tribo humana. E, como tal, de modo algum uma tribo.[31]

Os estoicos foram os primeiros a expressar essa ideia plenamente: somos todos membros de uma *cosmópolis*, disseram eles, uma comunidade mundial interconectada de seres humanos. Em outras palavras, somos cidadãos do mundo inteiro. Como outros estoicos, Sêneca ensinou que os seres humanos devem desejar beneficiar toda a humanidade, a cosmópolis como um todo. Sem o apoio mútuo de outras pessoas, a sociedade entraria em colapso. "Somos todos parte de um grande corpo", escreveu ele. "Nosso companheirismo é como um arco de pedra, que entraria em colapso se as pedras não sustentassem umas às outras."[32]

A sensação de pertencimento é essencial, mas o tribalismo tóxico separa as pessoas e vai contra a visão pró-social dos estoicos. Nas palavras de Sêneca: "Você deve viver para o outro se deseja viver para si mesmo."[33] Na pior das hipóteses, o tribalismo tóxico pode levar à demonização de outras pessoas, à violência e até ao genocídio. Por causa de sua crença na unidade humana, se estivessem vivos hoje, os estoicos romanos se oporiam vigorosamente à *política identitária* atual, em todas as suas formas, porque ela divide as pessoas em diferentes subgrupos, com base em características como gênero, raça ou orientação sexual. Depois, incentiva esses grupos a competirem entre si por prestígio ou poder especial, como se a identidade do grupo fosse mais importante do que nossa condição fundamental como seres humanos. Ao adotar uma abordagem de "dividir para conquistar" e fragmentar a família humana em grupos concorrentes, a política identitária representa a forma máxima de tribalismo tóxico em nosso tempo. Sua abordagem intensifica a divisão social e traz o risco de destroçar a sociedade. Como Sêneca advertiu: "Remova o companheirismo e você destruirá a unidade da raça humana da qual nossa vida depende."[34] Para os estoicos, a humanidade é uma só: somos todos irmãos e irmãs. Em vez de dividir a sociedade em tribos guerreiras, devemos reconhecer nossa humanidade comum e apoiar uns aos outros.

LAÇOS QUE UNEM: SENTIR-SE À VONTADE COM TODAS AS OUTRAS PESSOAS

> Todos os seres humanos nascem para uma vida de companheirismo, e a sociedade só pode permanecer saudável por meio da proteção mútua e do amor de suas partes.
>
> Sêneca, *Sobre a ira* 2.31.7

A ideia de Sêneca de que pertencemos a uma comunidade global de seres humanos, unidos pela razão e pela amizade com os outros, parece moderna. Como agora vivemos em uma civilização planetária, conectados por redes mundiais de comércio e comunicação, o companheirismo global faz parte de nossa experiência diária.

Mas, em primeiro lugar, como a sociedade humana e mesmo a sociedade global surgem? Se apenas os instintos do tribalismo governassem tudo, o mundo seria muito mais perigoso e polarizado do que realmente é.

Os estoicos tinham uma bela explicação para isso. Trata-se do termo *oikeiosis*, e diz-se que remonta a Zenão, o fundador da escola,[35] e vem da palavra grega *oikos*, que significa "casa" ou "família". *Oikeiosis* se refere ao senso de parentesco ou de estar à vontade com outras pessoas – a afinidade humana que sentimos em relação a outros –, e é a fonte fundamental de toda a ética estoica. *Oikeiosis* nos permite ver outros seres humanos como pessoas próximas e estimadas, mesmo que não estejamos diretamente ligados a elas. Marco Aurélio frequentemente escrevia sobre nosso parentesco com todos os seres humanos e sobre como esse parentesco forma a base da sociedade. Como ele expressou: "Todas as criaturas racionais nascem para o bem umas das outras."[36]

A explicação mais completa de como o afeto humano natural dá origem à sociedade aparece nos escritos de Cícero, e a ideia básica é simples. "Os estoicos", segundo ele, "pensam que a própria natureza faz com que os pais tenham afeto por seus filhos", e esse afeto parental é "a fonte a partir da qual se desenvolveu o companheirismo comum da espécie humana nas comunidades". Esse afeto dos pais pela prole é racional e parte da lei natural. É encontrado também em outras espécies. Diante do grande esforço que até os animais não humanos empenham no cuidado de seus filhotes, Cícero diz: "Parece que estamos ouvindo a voz da própria natureza."[37] Para os estoicos, ele explica:

> Também está claro que fomos impelidos pela própria natureza a amar aqueles a quem trouxemos ao mundo. Desse impulso surge uma atração comum que une os seres humanos como tais; com base em nossa humanidade comum, nos sentimos aparentados aos outros.[38]

Enquanto animais como as abelhas trabalham em harmonia uns com os outros, "os seres humanos possuem laços de companheirismo muito mais íntimos. Assim, por natureza, fomos preparados para formar associações, sociedades e Estados".[39] Além disso, conforme envelhecemos e nossa razão se desenvolve, a *oikeiosis* estende nossos sentimentos de parentesco aos outros. Por meio do uso da razão e da compreensão, o tipo de afeto natural que sentimos por nossos familiares se aplica à sociedade como um todo.

Os estoicos tinham outra forma de ilustrar a *oikeiosis*, os laços que nos unem a outros seres humanos. Ela foi explicada pelo filósofo estoico Hiérocles, que viveu na época de Marco Aurélio. Em um de seus escritos, Hiérocles descreveu os círculos da humanidade dos quais fazemos parte (veja a Figura 7) e por que "somos naturalmente ávidos por conquistar a todos e fazer amizade com todos".[40]

Figura 7: Versão simplificada dos círculos da humanidade do filósofo estoico Hiérocles.

O círculo central é onde estamos como indivíduos. Ele representa nosso eu individual. O segundo círculo é o da nossa família imediata (pais, irmãos, cônjuges e filhos), seguida dos parentes mais distantes (tias e tios, avós e primos). O círculo seguinte encerra os cidadãos de nossas comunidades locais e, em seguida, vem o dos compatriotas. Finalmente, o círculo maior e mais externo abrange a humanidade como um todo. Muitos estoicos contemporâneos, inclusive eu, desenhariam ainda um círculo maior, representando a natureza ou a biosfera, da qual todos fazemos parte. Mas essa ideia não é atual. Faz parte da antiga tradição estoica. Como observa o estudioso de filosofia John Sellars:

> O processo de ampliação do círculo de interesse de uma pessoa não deve parar, uma vez que abrange toda a sociedade humana. [...] Com o tempo, a *oikeiosis* de uma pessoa deve se estender para incluir todo o cosmos, gerando um interesse pela preservação de todos os seres humanos e do mundo natural. [...] Quando alcançarmos esse círculo mais amplo possível de interesse, nos tornaremos cosmopolitas – cidadãos do cosmos.[41]

A pessoa sábia, sugere Hiérocles, tentará puxar os círculos externos em direção ao centro, ou comprimi-los, de modo a se sentir aparentada com toda a humanidade e não apenas com aqueles que estão mais próximos dela. Embora ela admita que uma "diferença de sangue" removerá um pouco do afeto por aqueles que estão mais distantes, o objetivo estoico é ter afeto pela humanidade como um todo, e não apenas por aqueles de quem somos mais próximos.

Dessa forma, à medida que progredimos no sentido de nos tornarmos seres humanos mais sábios e completos, não ignoraremos as necessidades de quem está mais próximo de nós. Pelo contrário, reconheceremos toda a humanidade e a natureza como parte de uma comunidade mais ampla e viva da qual todos fazemos parte. Veremos então os círculos maiores, dos quais todos nós emergimos, como indispensáveis para nosso bem-estar e nossa prosperidade.

CAPÍTULO 10

Como ser autêntico e contribuir para a sociedade

O JARDIM EPICURISTA *VERSUS* A COSMÓPOLIS ESTOICA

O estoicismo se tornou a filosofia mais difundida e bem-sucedida do Império Romano porque prometia uma sensação de tranquilidade interior em um mundo estressante que, assim como o nosso, parecia perigosamente incontrolável. Mas o estoicismo não era a única filosofia que prometia tranquilidade interior a seus seguidores. O epicurismo, cujo nome vem de seu fundador Epicuro (341-270 a.C.), afirmava o mesmo. E, como os primeiros filósofos gregos, tanto os estoicos quanto os epicuristas estavam em busca da *eudaimonia*, ou felicidade duradoura.

Existem algumas áreas em que os pensamentos epicurista e estoico se sobrepõem, mas há outras ideias das duas escolas impossíveis de conciliar, porque elas são muito díspares. Em cerca de 30 das primeiras cartas que Sêneca escreveu a Lucílio, ele inclui alguma frase de Epicuro no fim do texto. Essas frases ou epigramas estão em perfeita harmonia com os ensinamentos estoicos e abrangem tópicos como a importância de uma vida simples e a conquista da riqueza por meio da frugalidade. Embora Sêneca considerasse os epicuristas "o campo oposto", ele era extremamente aberto a reconhecer o valor da sabedoria genuína, qualquer que fosse sua fonte. Como gostava de dizer ao amigo Lucílio, as boas ideias são "propriedade comum" da humanidade, independentemente de quem as expresse.

Como o significado atual da palavra "estoico", os estereótipos populares e o desenvolvimento da linguagem foram injustos também com os epicuristas. Hoje, *epicurista* se refere a quem busca o prazer, como o gourmet em relação à boa comida. Embora seja verdade que os epicuristas tenham feito do "prazer" a base e o objetivo de sua filosofia, eles estavam longe de ser hedonistas. Na verdade, "prazer" para eles significava apenas viver uma vida sem dor. E, em relação a jantares gourmet, nada poderia estar mais longe da verdade. O próprio Epicuro alimentava-se principalmente de pão e água, e se vez ou outra tivesse um pouco de queijo para acompanhar, considerava-o um banquete.[1]

Embora estoicos e epicuristas buscassem tranquilidade mental na vida, suas visões sobre o universo eram totalmente diferentes. Os estoicos viam o universo como semelhante a um organismo inteligente, do qual todas as coisas vivas, inclusive nós, fazemos parte. Os padrões que vemos na natureza, afirmam, são um reflexo da inteligência dessa natureza, da mesma forma que nossas mãos são uma manifestação da inteligência biológica. Já os epicuristas acreditavam que o universo é feito de átomos – ou minúsculas partículas de matéria – que colidem aleatoriamente e se juntam ao acaso. Vamos enfatizar essas duas palavras, apenas por um momento: *aleatoriamente* e *acaso*. Embora o atomismo seja uma ideia interessante, ele não explica o tipo de ordem e de padrões que vemos na natureza ou na vida biológica, que está muito longe de ser aleatório.[2]

Descobrimos outra grande diferença entre as duas escolas em suas ideias sobre como as pessoas devem contribuir para a sociedade. Quando Epicuro fundou sua escola filosófica em Atenas, ele comprou um terreno fora da cidade, que foi chamado de "o Jardim". Os alunos de Epicuro frequentavam o Jardim, que parecia uma comunidade hippie. Isso porque os epicuristas viviam juntos, mas como desertores sociais. Embora o objetivo fosse alcançar a paz de espírito, na prática isso significava se desligar de qualquer coisa que pudesse perturbar a alma, incluindo as frustrações decorrentes de casamento, filhos e envolvimento com a política. Quase como resumo de sua crença no desengajamento social, Epicuro fez a famosa recomendação: "Viva despercebido."[3]

Para os estoicos, a cultura de deserção dos epicuristas levantou sérias questões éticas, mas também inspirou oportunidades para o humor.

Epicteto, por exemplo, tinha um humor muito aguçado e que ainda hoje funciona. Um dia, brincando com seus alunos, ele perguntou: "Vocês conseguem imaginar uma cidade de epicuristas? 'Não vou me casar', diz um. 'Nem eu, porque não se deve casar!', diz outro. 'Nada de filhos! Tampouco devemos cumprir quaisquer deveres cívicos!'"[4]

Os estoicos, ao contrário, enfatizavam fortemente a importância do envolvimento cívico porque entendiam que nascemos para ser animais sociais. Para os estoicos, pertencemos a duas cidades ou comunidades diferentes. A primeira comunidade é o local em que nascemos (ou no qual vivemos agora). A segunda é a *cosmópolis*, a "cidade-mundo" ou "comunidade do cosmos", que engloba o mundo inteiro e toda a humanidade. Segundo eles, em razão dessa relação fraterna com a humanidade de que somos parte, é nosso dever aprimorar a sociedade – não desertando ou aderindo a comunidades apartadas, mas atuando diretamente em nossas comunidades locais e na sociedade como um todo. Esse é o motivo pelo qual tantos estoicos, como Sêneca e Marco Aurélio, foram estadistas ou servidores públicos ao longo de todo o Império Romano. O estoicismo os convocava a aprimorar a condição humana usando suas melhores habilidades.

Para os estoicos, levar uma vida autêntica significa contribuir para a sociedade de modo a beneficiar os outros. Mas, como as pessoas são diferentes, cada colaboração será de um jeito. Afinal, não saímos da mesma fôrma. Por isso, o primeiro passo para viver com autenticidade é entender a si mesmo e à sua natureza única.

CONHEÇA A SI MESMO

> Cada pessoa adquire seu caráter por si mesma, mas o acaso controla seus deveres.
>
> Sêneca, *Cartas* 47.15

Na parede do templo de Apolo em Delfos, na Grécia Antiga, estava inscrita a famosa frase: "Conhece-te a ti mesmo." Embora esteja relacionada a todos os aspectos da vida, ela se aplica fortemente à pergunta: "Como posso viver de forma autêntica e contribuir para a sociedade?" Como cada pessoa é diferente, todos somos mais compatíveis com tarefas e ocupações diferentes. E há o fator adicional do acaso ou da Fortuna que é adicionado à mistura. Conforme explicou Sêneca, embora sejamos todos responsáveis pela qualidade de nosso caráter interior, o modo como cada um ganha a vida não está inteiramente sob nosso controle.

Mesmo que não tenhamos controle total sobre nossas carreiras profissionais ou sobre o que somos capazes de alcançar na vida, certamente devemos nos empenhar pelo melhor – ou pelo melhor trabalho com que somos compatíveis. Por isso, Sêneca achava que "devemos primeiro nos examinar" e, em seguida, considerar o que gostaríamos de realizar. Segundo ele, devemos nos conhecer bem porque muitas vezes as pessoas pensam que podem realizar mais do que são capazes.[5] O oposto, é claro, frequentemente é verdadeiro. Às vezes, as pessoas realizam menos do que poderiam, simplesmente porque duvidam das próprias habilidades.

Ao discutir essas questões, Sêneca parece estar seguindo os pensamentos do filósofo estoico romano Panécio (*c.* 185-*c.* 110 a.C.), anterior a ele. Em seus escritos, Panécio descreveu os "quatro papéis" (ou quatro *personae*) que favorecem a posição de uma pessoa na sociedade, incluindo trabalho e escolhas de carreira.[6] Aqui, porém, em vez de usar o termo "papéis", vamos usar *fatores.*

O primeiro fator que nos influencia é a nossa natureza universal como seres humanos, o que, para um estoico, significa o fato de sermos seres racionais, algo que nos permite entender o mundo e agir de forma positiva. O segundo são todas as qualidades que a natureza nos concede como indivíduos, que variam amplamente. Como Sêneca observou, as qualidades que nos são dadas por nascimento tendem a permanecer conosco por toda a vida.[7] As pessoas possuem infinitas diferenças físicas entre si. Por exemplo, algumas pessoas são atléticas por natureza e outras não. Mas existem diferenças ainda maiores quando se trata de disposições psicológicas pessoais, traços de personalidade e talentos.[8] Como observa Sêneca:

> Algumas pessoas são muito tímidas para a política, que exige uma presença ousada. Outras são arrogantes demais para a corte real. Algumas não conseguem controlar a raiva, e qualquer sentimento

de irritação as leva a dizer coisas imprudentes. Outras não conseguem controlar o humor e evitar piadas perigosas. Para todas essas pessoas, a aposentadoria é mais útil do que o emprego público: uma natureza arrogante e impaciente deve evitar provocações à sinceridade, que só causarão danos.[9]

Além da compreensão de nossos traços e capacidades individuais, um terceiro fator que nos afeta é o acaso, que está além do nosso controle: por exemplo, a nossa criação, a situação financeira dos nossos pais, as qualidades dos nossos professores e muitas outras coisas desse tipo. O quarto e último fator é nossa própria vontade ou ação pessoal: nossa intenção e tomada de decisão. Aquilo a que decidimos nos dedicar e a energia que dedicamos para perseguir nossas intenções terão um impacto significativo em nossas carreiras e na forma como contribuímos para a sociedade.

De acordo com a visão estoica, devemos compreender nossos traços para não lutarmos contra a natureza nem tentarmos alcançar algo além de nossas capacidades. Simplesmente não é possível viver com autenticidade, com autoconsciência, se você não entende quem você é. Por fim, é impossível viver de forma autêntica ou feliz se você tenta copiar outra pessoa, ignorando sua própria natureza.[10]

Como podemos ver, os estoicos romanos enfatizaram nossa natureza universal enquanto seres humanos, ou seja, o que é comum a todos. Mas eles também reconheceram a importância de nossos traços individuais, que também nos são dados pela natureza. Para viver uma vida feliz e plena em sociedade, precisamos prestar atenção nos dois aspectos. Dessa forma, os estoicos ampliaram a ideia de "seguir a natureza" para incluir nossos traços pessoais.

AUTOCOERÊNCIA

> Acima de tudo, esforce-se para ser coerente consigo mesmo.
>
> Sêneca, *Cartas* 35.4

Para Sêneca, viver com autenticidade implica ter uma personalidade estável. Sem esse senso íntegro de identidade, uma pessoa muda suas intenções como os ventos mudam de direção. "Não quero dizer", explica Sêneca, "que uma pessoa sábia deva sempre andar exatamente da mesma maneira, mas que deve seguir um único caminho".[11] Essa ideia está fortemente relacionada à metáfora de Sêneca de que, ao viajar, é importante ter uma direção real, em vez de apenas se vagar aleatoriamente.

Consistência e algum tipo de "direção" são um subproduto de ter uma verdadeira filosofia de vida. Uma pessoa com caráter íntegro será única, terá um objetivo na vida e uma motivação equivalente. Mas muitas pessoas não têm certeza do que realmente querem até o momento em que o desejam. Como Sêneca afirma, muitas pessoas não são guiadas por suas intenções, são apenas "movidas por impulso".[12] Em outro texto, ele ilustra essa ideia com uma descrição divertida do que hoje podemos chamar de comportamento neurótico:

> Não há um ser humano que não mude seus planos e desejos todos os dias. Num momento ele quer uma esposa; no momento seguinte, apenas uma namorada. Uma hora ele quer governar como rei; depois, age de modo mais obediente do que o servo mais submisso. Numa hora ele age de forma tão grandiosa que atrai inveja; depois, é mais humilde do que a pessoa mais modesta. Em um momento ele esbanja dinheiro de maneira grandiosa; e no momento seguinte ele o rouba.
>
> Este é o sinal mais claro de uma mente que carece de consciência: ela muda constantemente de identidade. Em minha opinião, não há nada mais vergonhoso do que uma mente inconsistente consigo mesma. Considere uma grande realização agir como uma pessoa única. Mas apenas o sábio desempenha um único papel. O restante de nós usa muitas máscaras. Em um minuto, pareceremos frugais e sérios; no momento seguinte, esbanjadores e tolos. Continuamos mudando de personagem, assumindo papéis opostos entre si. Portanto, você deve exigir de si mesmo o seguinte: interpretar um único personagem até que a cortina caia.[13]

Uma característica do bom caráter é que ele "está satisfeito consigo mesmo e, portanto, perdura ao longo do tempo. Mas um mau caráter não é confiável: muitas vezes muda, não para melhorar, mas apenas para ser diferente".[14] Por isso, Sêneca encoraja Lucílio "a adotar, de uma vez por todas, uma única norma de vida e a fazer com que toda a sua existência esteja em conformidade com esse padrão".[15]

Outra maneira de viver com autenticidade e consistência é se apresentar ao mundo como você realmente é. Sêneca escreve sobre como as pessoas usam máscaras em público e se empenham em representar: diante de uma plateia, agimos de um modo diferente se comparado à forma como somos em casa. Isso geralmente envolve um pouco de fingimento e exibição. O problema é que uma vez que alguém constrói uma imagem falsa, adaptada à exposição pública, sente-se ansioso com a probabilidade de ser descoberto. Para algumas pessoas, isso pode causar grande surpresa, como as fotos de atrizes famosas de Hollywood sem maquiagem. Como observa Sêneca, "A vida não pode ser feliz ou livre de ansiedade para aqueles que vivem constantemente sob uma máscara" e "É melhor ser desprezado por seu estado natural do que ser atormentado por fingimentos constantes".[16]

Por fim, para viver com autenticidade, nossas ações devem corresponder às nossas palavras e crenças. Como dizem os ditados atuais: "Faça o que diz" e "Pratique o que você prega". Sêneca foi especialmente crítico dos filósofos profissionais a esse respeito, porque eles costumam falar de forma convincente, mas não vivem de acordo com o que dizem. "A filosofia não é um truque para chamar a atenção do público", escreveu Sêneca, "nem é concebida para exibição. Ela não tem a ver com palavras, mas com ações".[17] Resumindo: "Vamos dizer o que sentimos e sentir o que dizemos. Que nossas palavras estejam em harmonia com nossa vida real. Uma pessoa cumpre o que promete quando a pessoa que vemos é igual à pessoa que ouvimos."[18]

LIBERDADE INTELECTUAL

> Não devemos simplesmente seguir o rebanho à nossa frente, como ovelhas.
>
> Sêneca, *Da vida feliz* 1.3

Uma das maneiras de viver com autenticidade, utilizada pelo próprio Sêneca, é abraçar intensamente a liberdade intelectual. Essa qualidade fez dele um dos melhores pensadores de sua época e também o torna muito atual. Embora hoje em dia muitas pessoas abracem a liberdade intelectual de um modo um pouco provocador ou arrogante, a abordagem de Sêneca foi diferente: ele fez isso a partir da *humildade*. Em outras palavras, percebeu que o conhecimento humano é limitado e incerto. E também que, ao longo dos séculos, novas descobertas nos permitirão compreender o mundo e o universo muito mais profundamente. Como os estudos científicos sempre descobrem coisas novas, precisamos ter a mente aberta. Além disso, por meio do pensamento crítico, nós mesmos podemos contribuir para a expansão do conhecimento humano. Como ele observa, nós e as eras futuras adicionaremos conhecimento ao que herdamos daqueles que viveram antes de nós.[19] Por exemplo, escrevendo sobre descobertas científicas, Sêneca observa:

> Chegará o dia em que uma pesquisa detalhada, ao longo de muito tempo, trará à tona descobertas que agora estão ocultas. Uma única vida, mesmo que seja inteiramente dedicada à astronomia, não é suficiente para a investigação de questões tão grandes. [...] Chegará o tempo em que nossos descendentes ficarão surpresos por não termos conhecido fatos muito óbvios.[20]

Como ele descreve lindamente, os pensadores anteriores "abriram o caminho" para futuras descobertas, em vez de esgotarem as possibilidades do conhecimento humano.[21] Para Sêneca, isso se aplicava tanto ao estoicismo quanto à astronomia e a outras ciências. Como o estoicismo é uma filosofia, e não uma religião, ele se baseia em argumentos, não em crenças. Se você acredita nos argumentos do estoicismo, encontrando formas de colocá-los à prova, talvez o ache útil como filosofia de vida. Mas um verdadeiro estoico nunca pediria que você acreditasse em nada. Talvez essa seja uma das razões pelas quais a filosofia estoica atrai hoje tantas pessoas que se classificam como humanistas seculares.

Não surpreende que Sêneca, como pensador independente, às vezes criticasse os primeiros estoicos. Por exemplo, ele apontou problemas em alguns argumentos de Zenão, o fundador da escola. Também não hesitou em criticar a lógica de Crisipo (*c.* 279-*c.* 206 a.C.), um dos primeiros estoicos de grande influência, como sendo excessivamente abstrata e fraca.[22] Para Sêneca, ser filósofo significa ser um pensador crítico e não apenas um adepto. Embora tenha concordado principalmente com os primeiros estoicos seguindo essa filosofia, ele escreveu: "Eu também me permito fazer novas descobertas, mudanças, e rejeito coisas quando necessário. Concordo com eles, mas não sou submisso."[23]

Embora pouquíssimas pessoas tenham notado isso, Sêneca *realmente* ampliou o pensamento estoico de modo significativo. Deu a ele continuidade e o combinou com as próprias percepções profundas sobre a psicologia e as motivações humanas. Os primeiros estoicos entendiam que as falsas crenças levam ao sofrimento psicológico. Mas Sêneca foi o primeiro estoico a explicar, em grande profundidade, como essas falsas crenças são assimiladas por meio da socialização e do condicionamento social.

Em uma passagem inesquecível, Sêneca explica que seguirá os passos daqueles que vieram antes dele, ao mesmo tempo que permanece aberto a novas descobertas:

> Vou, sim, usar a antiga estrada, mas, se descobrir uma que seja mais curta e mais fácil de percorrer, abrirei um novo caminho. Aqueles que fizeram descobertas antes de nós não são nossos mestres, mas nossos guias. A verdade está à disposição de todos – ela não foi monopolizada. E ainda há muito a descobrir por aqueles que virão depois de nós.[24]

PERSISTÊNCIA ESTOICA: "TORNANDO-SE INVENCÍVEL"

> Há milhares de casos de persistência superando todos os obstáculos: nada é difícil quando a mente decide resistir.
>
> Sêneca, *Sobre a ira* 2.12.4

Vamos imaginar que você compreende a si mesmo e às suas capacidades. Você pesquisou o projeto ou a carreira que deseja seguir e está tudo certo.

Parece perfeito para seus talentos e habilidades. Mas então, quando você avança, o projeto fracassa.

Embora os estoicos defendessem paciência e persistência, aprendi que há momentos em que fazer outra coisa pode ser a escolha mais racional. Mudar de caminho pode ser outra forma de mostrar persistência, de transformar a adversidade em algo positivo, ou talvez se justifique por outros motivos. Ser persistente não significa que você precisa ser masoquista, dia após dia batendo a cabeça contra a mesma parede. Também não significa que continuar perseguindo algo que pode nem mesmo ser do seu interesse a longo prazo seja sinal de virtude ou uma boa ideia. Ser persistente significa seguir em frente ou "progredir" como um conceito geral. O modo específico de fazer isso sempre varia de caso a caso.

Persistência, para os estoicos, era uma qualidade humana essencial. Sêneca escreveu que "mesmo depois de uma colheita ruim, deve-se semear novamente; com frequência, o que foi perdido para o solo pobre devido à esterilidade prolongada prosperou em um ano de fertilidade". Da mesma forma, "depois de um naufrágio, os marinheiros retornam ao mar... Se fôssemos obrigados a desistir de tudo que causa problemas, a própria vida deixaria de seguir em frente".[25]

Os estoicos acreditavam que coisas externas não conseguem prejudicar uma pessoa sábia virtuosa, desde que sua virtude permaneça intacta. Sêneca escreveu um longo trabalho sobre esse tema, que agora é chamado *Sobre a firmeza do sábio*, mas foi inicialmente intitulado *Sobre como a pessoa sábia não aceita ser ferida nem insultada.*[26] Ser invencível não significa que um estoico não seja vulnerável no sentido físico. Como Sêneca apontou, até mesmo um sábio estoico pode ser espancado, perder um membro ou sentir uma dor física extrema. Para um estoico, esses seriam acontecimentos lamentáveis, mas não ferimentos. A única maneira de realmente *ferir* um estoico seria prejudicar sua virtude, sua bondade ou seu caráter.

Para ilustrar a persistência, Sêneca usa o exemplo de alguém, nos Jogos Olímpicos, que deixa o oponente exausto por meio da paciência. (A palavra latina *patientia* significa "persistência".) Da mesma forma, em termos de persistência mental, a pessoa sábia, por meio de um longo treinamento, adquire paciência para esgotar, ou simplesmente ignorar, qualquer ataque a seu caráter. Epicteto também usa uma analogia com a competição atlética.

Ele explica que, mesmo que a pessoa vacile em uma partida esportiva, ninguém pode impedi-la de se levantar e retomar a luta. Mesmo que ela falhe nessa partida específica, pode continuar a treinar e participar da competição novamente. Então, se finalmente obtiver a vitória, será como se nunca tivesse desistido.[27] Às vezes, apenas ser capaz de continuar e avançar já é, em si, uma grande vitória.

Um estoico, como qualquer outra pessoa, experimentará adversidades e infortúnios. O que torna um estoico invencível é que ele não desiste. Um estoico fará o melhor em qualquer circunstância, mesmo em meio ao fracasso, ao desastre ou à dificuldade financeira. Se for derrubado, se levantará, sacudirá a poeira, continuará treinando e seguirá em frente.

COMO CONTRIBUIR PARA A SOCIEDADE

Os romanos adoravam uma pergunta que veio originalmente das escolas filosóficas gregas. Eles a reformularam assim: O que é melhor, uma vida dedicada a ajudar o governo romano ou uma vida de ócio, dedicada à filosofia?

Epicuro disse que uma pessoa sábia deve evitar, se possível, assumir um cargo político, pois isso ameaçaria sua tranquilidade mental. Já os primeiros estoicos gregos diziam que uma pessoa sábia deveria ocupar cargos políticos, exceto quando isso fosse impossível, porque a política dá ao filósofo uma oportunidade de contribuir para a sociedade.[28]

Claro, hoje em dia a situação é muito mais complexa e cheia de nuances do que esse tipo de dicotomia simples, preto no branco. Na Antiguidade, uma das maneiras mais seguras de contribuir para a sociedade era seguir uma carreira política – que também podia ser um caminho para a riqueza. Hoje, porém, a política não é a única maneira de se engajar no serviço público. Em alguns casos, talvez seja até uma das piores maneiras de contribuir para o mundo, pois a pessoa pode desperdiçar seu tempo tentando consertar um sistema disfuncional. Também há uma grande diferença entre trabalhar como funcionário do governo em algum lugar hoje e ser o principal conselheiro do imperador romano na época de Sêneca.

Como nós, atualmente, Sêneca rejeitou a antiga visão preto no branco de como alguém poderia contribuir para a sociedade. Como nós, ele tinha uma visão com muitas nuances. Embora Sêneca se envolvesse na política como um bom estoico, aparentemente sempre aconselhava seus amigos, em vários escritos, a se aposentarem de seus cargos oficiais no governo e estudar filosofia.

Ironicamente, ainda que os primeiros estoicos gregos dissessem que um filósofo deveria participar da política, nenhum deles de fato o fez. Mas, como Sêneca aponta, os fundadores do *Stoa* de fato sugeriram leis, mas não apenas para um Estado. Ao contrário, eles guiaram "toda a humanidade", ajudando não só as pessoas de sua época, mas "pessoas de todas as nações, tanto do presente quanto do futuro".[29] Como Sêneca escreveu: "Obviamente, é necessário beneficiar os outros - muitos, se possível. Caso contrário, alguns; e se não alguns, então aqueles mais próximos de nós; e se não os mais próximos, então a nós mesmos. Pois, quando nos tornamos úteis aos outros, nos engajamos no serviço público."[30]

Sêneca acreditava que um sábio estoico não participaria da política em qualquer comunidade nem sob qualquer circunstância.[31] Se a situação fosse um caso perdido, para quê? Além disso, se um sábio decide seguir uma vida de ócio, ele beneficia a sociedade ou a posteridade por outros meios.[32] Na verdade, Sêneca via sua vida e seu trabalho de maneira semelhante. Ele provavelmente se arrependeu do tempo que passou trabalhando para Nero e queria consertar as coisas enquanto ainda estava vivo. Como disse a Lucílio:

> Trabalho para as próximas gerações registrando algumas ideias que podem beneficiá-las. Existem certos conselhos saudáveis, semelhantes à prescrição de medicamentos úteis, que agora estou colocando em texto. [...] Aponto para os outros o caminho certo, que descobri tarde na vida, quando me cansei de me desviar.[33]

Vale ressaltar que Sêneca disse a Lucílio que seu trabalho, naquele momento, era escrever para as gerações futuras - escrever, na verdade, *para nós*. Ele acreditava que esse trabalho voltado para o futuro era muito mais importante do que qualquer coisa que ele pudesse fazer no Senado romano ou na corrupta esfera social e política de sua época.

Sêneca tinha uma confiança incrível no próprio trabalho. Não tinha dúvidas de que seus escritos encontrariam leitores em um futuro distante. "Terei a estima das gerações futuras", escreveu ele. Sêneca chegou até a sugerir a Lucílio que levaria o nome do amigo junto com o seu e o preservaria para futuros leitores.[34] O surpreendente é que Sêneca estava totalmente correto ao fazer essa previsão ousada. Hoje, 20 séculos depois, as cartas de Sêneca a Lucílio estão entre as obras mais vendidas da filosofia antiga. Como ele confidenciou ao amigo: "Quem só pensa nos contemporâneos nasce para poucos. Muitos milhares de anos virão, e muitos milhares de pessoas: olhe para elas também."[35]

Esteja você trabalhando para as pessoas que estão mais próximas de você agora ou para as gerações futuras, ambas as abordagens são dignas de admiração. Sêneca nos mostra que existem inúmeras maneiras de *todos nós* contribuirmos para a sociedade, seja beneficiando uma ou muitas pessoas. Independentemente de nossas habilidades e tendências individuais, há um caminho aberto para todos.

CAPÍTULO 11

Viver plenamente apesar da morte

Por quanto tempo poderei viver não depende de mim, mas *como* vivo está sob meu controle.

Sêneca, *Cartas* 93.7

Para viver uma vida longa, você precisa do Destino; mas viver bem depende do seu caráter.

Sêneca, *Cartas* 93.2

A PROVA DEFINITIVA DO CARÁTER

"Para onde quer que eu olhe, vejo sinais da minha velhice", escreveu Sêneca a Lucílio. Sêneca acabara de chegar à sua *villa* fora de Roma, onde estava conversando com o administrador da propriedade sobre o alto custo de manutenção do antigo prédio, que estava se desmantelando. Mas Sêneca explicou em seguida: "Meu administrador me disse que não era culpa *dele*, que estava fazendo todo o possível. O que acontecia era que a casa de campo era velha. E esta *villa* foi construída sob a minha supervisão! Como será meu futuro se uma construção em alvenaria da minha idade já está se desintegrando?"[1]

Naquela época, Sêneca estava com quase 60 anos e começava a sentir as dificuldades da velhice. Ao mesmo tempo, ele achava que o envelhecimento era prazeroso. Porém, quanto mais você envelhece, mais desafiadoras as coisas se tornam. A velhice avançada, segundo ele, é como uma longa doença da qual você nunca se recupera; e, quando o corpo realmente entra em decadência, é como um navio que começa a apresentar vazamentos, um depois do outro.

Em Sarajevo, onde vivo hoje, vejo quase diariamente pessoas muito idosas, bem próximas da morte. Parece que alguns dos meus vizinhos – magros, frágeis e encurvados, muitas vezes andando com uma bengala a passo de tartaruga pelas antigas ruas de pedra – estão prestes a cair e partir a qualquer momento. Apesar disso, ver pessoas extremamente idosas fora de casa é uma experiência inspiradora e profunda para mim. Em primeiro lugar, é adorável ver pessoas que viveram por tanto tempo, muitas vezes tendo passado por adversidades desafiadoras, e é impossível observá-las sem sentir uma grande ternura. Em segundo, elas são uma lembrança oportuna de minha própria mortalidade. Também não me lembro de ver nada parecido nos Estados Unidos.

Ao contrário de muitos outros países, os Estados Unidos são muito competentes quando se trata de manter pessoas idosas (e qualquer coisa que nos lembre a morte) longe de nossos olhos e nossa mente. Com seus prédios de vidro e aço reluzentes, shoppings e bairros residenciais com casas espaçadas, a paisagem dos Estados Unidos foi esterilizada e artificialmente "limpa" de tal forma que pessoas muito idosas raramente são vistas em público. Mas aqui, em uma cidade europeia histórica, com edifícios de pedra que datam de séculos, bairros antigos e ruas de paralelepípedos, pessoas muito idosas, que caminham com dificuldade, são um aspecto positivo da vida cotidiana. Elas me lembram que a vida não acontece sem uma luta ferrenha. E quando as pessoas morrem, o que pode acontecer em qualquer idade, as comunidades religiosas locais publicam obituários, com fotos do falecido, em bairros de toda a cidade. É outro hábito interessante, que nos lembra que somos mortais.

Um estoico deseja viver bem – e viver bem também significa morrer bem. Um estoico vive bem tendo um bom caráter, e a morte é a prova final desse caráter. Embora todas as mortes sejam um pouco diferentes entre si, os estoicos romanos acreditavam que uma boa morte seria caracterizada por tranquilidade mental, ausência de reclamações e o sentimento de gratidão pela vida que recebemos. Em outras palavras, como ato final da vida, uma boa morte é caracterizada por aceitação e gratidão. Além disso, ter uma verdadeira filosofia de vida e ter trabalhado no desenvolvimento de um caráter íntegro permite que uma pessoa morra sem qualquer arrependimento.[2]

Sêneca pensou e escreveu muito sobre a morte. Em parte, isso se deve à sua saúde debilitada. Por sofrer de tuberculose e asma desde muito jovem, ele deve ter sentido a certeza e a proximidade da própria morte durante toda a vida. Na Carta 54, ele descreve, em detalhes vívidos, um ataque de asma que quase o matou. Mas muito antes, provavelmente quando tinha por volta de 20 anos, esteve tão doente e tão perto da morte que pensou em dar fim à própria vida para interromper o sofrimento. Felizmente, por amor ao pai, ele não pôs essa ideia em prática. Como ele escreve:

> Muitas vezes senti vontade de acabar com minha vida, mas a velhice do meu querido pai me impediu. Pois, embora eu pensasse que poderia morrer bravamente, sabia que ele não suportaria a perda da mesma forma. E então me obriguei a viver. Às vezes, continuar vivendo é um ato de coragem.[3]

Para os estoicos (e outros filósofos antigos), o *memento mori* – contemplar nossa morte inevitável – era um exercício filosófico essencial, que trazia benefícios inesperados. Como a antecipação de adversidades futuras (veja o Capítulo 6), o *memento mori* permite que nos preparemos para a morte e nos ajuda a não ter medo dela. Também nos encoraja a levar a vida presente mais a sério, porque percebemos que ela é finita. Como descobri na prática, refletir sobre minha própria morte – e a morte inevitável de pessoas queridas – teve um benefício totalmente inesperado e poderoso para mim: um sentimento mais profundo de gratidão pelo tempo que ainda temos juntos.

MEMENTO MORI: LEMBRAR-SE DA MORTE

A expressão latina *memento mori* significa literalmente "lembre-se de que você vai morrer". Ao longo dos séculos, eruditos costumavam manter uma imagem simbólica do *memento mori* em seus estúdios – uma caveira, por exemplo –, como lembrete da própria mortalidade.

No mundo da filosofia, o modelo de como morrer bem, sem um pingo de medo, era Sócrates. Preso sob acusações falsas de corromper a juventude de Atenas, Sócrates ficou detido por 30 dias antes de enfrentar a sentença de morte: beber o veneno cicuta. Na época de sua morte, em 399 a.C., Sócrates tinha cerca de 70 anos. Se ele quisesse, poderia facilmente ter escapado da prisão com a ajuda de amigos e continuar vivendo em outra região da Grécia. Mas isso iria contra tudo em que ele acreditava. Além disso, a fuga teria prejudicado permanentemente sua reputação. Um dos principais objetivos de Sócrates era melhorar a sociedade, e isso implicava seguir as leis dessa sociedade, mesmo sendo tratado de forma injusta.

Sócrates teve seus últimos 30 dias para se encontrar com amigos e alunos, dando continuidade às discussões filosóficas. Ele havia questionado a moralidade daqueles que clamaram por sua morte com uma frase memorável: "Se vocês me matarem, vão prejudicar menos a mim do que a vocês."[4] Esse pensamento foi apreciado mais tarde pelos estoicos, visto que, na opinião deles, nada pode prejudicar o caráter de uma pessoa sábia. Durante o último encontro com seus alunos, pouco antes de morrer, Sócrates discutiu e questionou a possibilidade da vida após a morte. Ele também disse, de maneira memorável, que "a filosofia é uma preparação para a morte", o que foi, provavelmente, o verdadeiro início da tradição do *memento mori* (ao menos entre os filósofos). Quando essa última conversa chegou ao fim, Sócrates bebeu a cicuta e faleceu pacificamente, rodeado por seus alunos.[5]

De acordo com Sêneca, o filósofo Epicuro disse: "Ensaie para a morte", uma prática que o próprio Sêneca encorajou muito. Para Sêneca e os outros estoicos romanos, morrer era "o medo maior" e, quando a pessoa aprende a superá-lo, tem poucas coisas mais a temer.

O filósofo estoico Epicteto disse a seus alunos que, quando você dá um beijo de boa-noite em seu filho, deve se lembrar de que ele pode morrer amanhã. Embora seja literalmente verdade que seu filho *pode* morrer amanhã, muitos leitores dos dias atuais rejeitam sequer a possibilidade de ter esse pensamento. No entanto, esse pode ser um sinal de recusa em aceitar que a morte é inevitável ou uma forma de reprimir o fato de que a morte pode chegar de forma inesperada, a qualquer momento. Como alguém que adota essa prática, posso dizer que ela é perfeitamente inofensiva depois que você supera um desconforto inicial. O grande benefício que ela traz é que você tem uma sensação maior de gratidão em relação a seus entes queridos. Quando você aceita que a morte é inevitável, percebe conscientemente que um dia, que ninguém pode prever, será a última vez que estarão juntos – então, você sente uma gratidão muito maior pelo tempo que passam juntos *agora*. Como Sêneca sabiamente aconselhou, devemos aproveitar intensamente a companhia de nossos amigos e entes queridos agora, enquanto ainda os temos.[6]

EMOCIONALMENTE, O QUE SIGNIFICA contemplar a própria morte ou a morte de um parente próximo? Venho fazendo essa experiência há algum tempo e só posso relatar resultados positivos. Pois quando penso na mortalidade de um ente querido e no fato de que todo o nosso tempo juntos é, por definição, limitado, minha qualidade de vida melhora. Sinto uma gratidão muito mais profunda por todo o tempo que passamos juntos. Se você não lembra a si mesmo que seu tempo é limitado e finito, é muito mais provável que considere esse tempo algo banal.

Na maioria das vezes, lembro-me da morte quando estou com meu filho, Benjamin, que está com 7 anos no momento em que escrevo este livro. Essa é uma idade encantadora, porque ele está muito engraçado e já consegue ter conversas divertidas. Também estamos começando a falar sobre questões filosóficas.

Obviamente, é impossível para a maioria das crianças de sua idade compreender a gravidade ou o aspecto definitivo da morte, porque elas ainda não passaram pela experiência de perder uma pessoa querida. As crianças vivem em uma espécie de Idade de Ouro psicológica, na qual todas as suas necessidades parecem magicamente atendidas. Por viverem em um território protegido, a maior parte delas ainda não foi exposta aos aspectos mais desafiadores da vida.

Por causa disso, tenho tentado ensinar a Benjamin um pouco sobre a morte e o fato de que papai, mamãe e ele um dia morrerão. Esse esforço é um treinamento estoico básico para uma criança, e fico curioso para saber se seria possível aumentar sua capacidade de apreciar o tempo limitado que temos juntos, mesmo com tão pouca idade. No mínimo, espero que esse processo reduza muito o choque que ele sofrerá quando alguém próximo a ele morrer, porque ele estará esperando por isso.

Outro dia, estávamos voltando para casa depois de comer em uma lanchonete, e Benjamin falou comigo sobre Deus pela primeira vez na vida. Com uma expressão infantil de prazer, ele me explicou:

– Deus tem poderes incríveis, como ser capaz de ver e ouvir tudo. Mas seu maior superpoder é ser invisível!

Eu ri diante do uso da palavra "superpoder", que fez Deus parecer um super-herói, como o Homem-Aranha. Mas, risadas à parte, ele havia aberto uma margem para falarmos sobre algumas questões profundas, então eu trouxe à tona o tema da morte.

– Benjamin, você sabe que algum dia mamãe, papai e você vamos morrer?

– Sim – respondeu ele.

– Tenho quase 60 anos, então devo viver mais uns 20.

– Acho que você não vai viver *tanto* – disse ele. – Mas talvez algo perto disso.

(Obrigado, Benjamin! Vamos ter que esperar para ver como as coisas caminham.)

Depois, perguntei:

– Sabia que *você* pode morrer a qualquer momento?

– Acho que não vou morrer tão cedo – argumentou ele.

– Mas isso *pode* acontecer. Não é algo que podemos controlar. Você é jovem, então pode viver muito. Mas, como estamos andando de carro, podemos sofrer um acidente daqui a cinco minutos e morrer no mesmo instante. Então, embora seja muito, muito jovem, você pode morrer a qualquer momento. Se você permanecer saudável, as chances de ter uma vida longa aumentam. Mas, no fim das contas, não temos o controle de quando vamos morrer.

Benjamin assentiu e pareceu entender. E, felizmente, chegamos em casa em segurança alguns minutos depois.

ISSO FOI HÁ ALGUNS DIAS. Ontem, busquei Benjamin na escola. Ele saiu do prédio com algumas outras crianças da sua idade, todas usando máscaras. Eu também estava usando uma.

No momento em que escrevo este livro, um ano após o início da pandemia global da covid-19, no começo de 2021, uma nova onda de infecções está varrendo a Europa, e o número de casos atingiu seu auge. A Organização Mundial da Saúde recentemente anunciou que a taxa de mortalidade da covid-19 agora na Europa pode ser cinco vezes maior do que na primeira onda. Certamente *pode* acontecer... quem sabe? O que sei de fato é que o estoicismo pode nos ajudar a enfrentar a morte com calma e equilíbrio emocional, por isso é uma filosofia ideal para estes tempos de incerteza.

Depois que peguei Benjamin na escola, fomos resolver algumas coisas a pé, sempre de máscara. Ao cruzarmos uma rua bonita e movimentada na parte antiga de Sarajevo, Benjamin segurou minha mão, por segurança. Atravessar uma rua aqui pode ser muito perigoso para adultos, e muito mais para crianças.

Uma das práticas estoicas que aprendi com Sêneca foi tratar cada dia como se fosse o último. Por isso, pergunto a Benjamin todos os dias: "Sabia que amo você?" Ele sempre diz: "Sim", e eu faço essa pergunta por um único motivo: se realmente for meu último dia, quero que ele saiba que o amo.

Agora aos 7 anos, Benjamin é bastante hábil em expressar seu afeto. Enquanto caminhamos pela rua de mãos dadas, posso literalmente sentir o amor fluindo entre nós. Ter um filho me ensinou a beleza da *philostorgia*, palavra que os estoicos usavam e que significa "amor pela família".

Algumas pessoas consideram Epicteto um pouco mórbido ou hostil por ensinar seus alunos a lembrar que seus filhos são mortais. Mas, ao contrário, enquanto seguro a mão de Benjamin e caminhamos pela rua, tenho uma experiência totalmente diferente. A prática estoica de lembrar nossa mortalidade me torna ainda mais grato por este tempo que passamos juntos. Isso faz meu coração se abrir ainda mais.

> Primeiro, liberte-se do medo da morte... depois, liberte-se do medo da pobreza.
>
> Sêneca, *Cartas* 80.5

Na filosofia de Sêneca, a morte é "o medo maior" porque geralmente é o pior resultado que alguém pode imaginar. Vamos supor que você seja um psicólogo e seu cliente tenha medo de que algo terrível aconteça com ele. Você pode então dizer: "Ok, vamos imaginar que isso *realmente* aconteça. Qual a pior coisa que pode acontecer *depois*?"

Se você continuar fazendo a mesma pergunta indefinidamente, para descobrir quanto as coisas podem ficar ruins, no fim das contas seu cliente responderá: "Depois eu poderia morrer." Como a morte é terminal, por definição é difícil imaginar algo pior acontecendo depois dela!

Assim, é possível entender por que a morte permanece como "o medo maior". Com base nessa percepção, Sêneca e os outros estoicos romanos concluíram que, uma vez que nos livremos do medo da morte, todo o resto se tornará muito mais fácil. Com o medo da morte fora do caminho, outros medos também perdem o poder.

Superar o medo da morte, então, é essencial para se tornar livre. Como Sêneca escreve:

> Qualquer pessoa que morre com o mesmo contentamento que teve ao nascer se tornou sábia. Mas, em geral, trememos quando o perigo se aproxima: nossa mente falha e nosso rosto fica pálido. Lágrimas caem, mas de nada adiantam. O que é mais vergonhoso do que ser dominado pela preocupação no limiar da tranquilidade?[7]

Epicteto e Marco Aurélio viam as coisas de forma semelhante. Como Epicteto observou, a fonte de todos os males e covardias dos seres humanos "não é a morte, mas sim o medo da morte".[8] Sêneca disse que, para quem venceu o medo da morte, é possível deixar a vida com alegria e serenidade, enquanto outras pessoas sentem pavor. Mas aqueles que temem a morte "se agarram e se apegam à vida, da mesma forma que alguém que é carregado por uma corredeira se agarra e se apega a arbustos cheios de espinhos e a pedras pontiagudas".[9]

É por esse motivo, afirma Sêneca, que a morte é a prova final do caráter. Ele explica a Lucílio (mas falando sobre si mesmo) que uma pessoa pode dizer e acreditar em qualquer coisa e agir com bravura enquanto estiver viva. Mas, no momento da morte, ficará claro se suas palavras eram ou não verdadeiras; ficará claro "que progressos realmente fiz". Desse modo, a morte nos julgará e revelará nosso caráter autêntico. Ele escreve:

> Discussões, seminário eruditos, máximas de filósofos e conversas intelectuais – tudo isso não revela a verdadeira força da mente. Mesmo as pessoas mais covardes falam com ousadia. O que você realmente alcançou só ficará claro quando der seu último suspiro. Aceito essa prova e não temo o juízo.[10]

Como, então, superar o medo da morte? Visto que os estoicos eram filósofos, eles tentavam encarar a morte de maneira racional. Por isso, apresentaram argumentos lógicos para destruir quaisquer medos que pudessem estar associados a ela. Alguns desses argumentos estão listados resumidamente a seguir e são explicados com mais detalhes nos escritos de Sêneca e de outros estoicos romanos:

1. *A morte é apenas uma parte natural da vida.* Quando nascemos, assinamos um contrato que diz que morreremos um dia. A morte é apenas uma parte natural da vida. Por isso, e porque a vida e a natureza são boas, devemos aceitar a morte sem medo e sem reclamações. Na época em que escrevia suas cartas, Sêneca visitou seu velho amigo e professor Demétrio, um filósofo epicurista que estava morrendo. Como Demétrio explicou a Sêneca, a única coisa que as pessoas temem na morte é a incerteza. Além disso, segundo Demétrio:

> Quem não deseja morrer nunca desejou viver, pois a vida nos é dada com a condição de que acabará... A morte é uma necessidade, distribuída igual e inevitavelmente a todos. Quem pode reclamar

de estar sujeito à mesma condição que todas as outras pessoas? O elemento mais importante da igualdade é a imparcialidade.[11]

Dito de outra forma, a morte não é um castigo, apenas uma consequência de estar vivo. E dado que é uma lei da natureza, aplicada igualmente a todos que vivem, não há nada a temer.

2. ***Não importa o que aconteça no momento da morte, ficaremos bem de qualquer maneira.*** Nas palavras de Sêneca: "Ou a morte nos consome ou nos liberta. Se formos libertados, as coisas melhores permanecerão, visto que nosso fardo foi eliminado. Mas, se formos consumidos, nada restará: as bênçãos e os males serão igualmente eliminados." Em outras palavras, se a alma for destruída, não restará nada para vivenciar o sofrimento. E, se a alma sobreviver, ela começará uma nova aventura em uma forma nova.[12] Aconteça o que acontecer, nenhum dos resultados é negativo.

3. ***O que há de terrível em se voltar para o lugar de onde você veio?*** Esse é o conhecido "argumento da simetria" e foi usado por muitos filósofos antigos. Se a morte é simplesmente inexistência, quando você morre, retorna ao mesmo estado em que estava antes de nascer. Se essa interpretação for correta, a condição que existia antes de nosso nascimento se repetirá após a morte: em qualquer extremidade da vida, há uma grande paz, sem nenhum sofrimento.[13]

Quando Epicuro disse a famosa frase: "A morte não é nada para nós", ele não estava tentando se mostrar superior ou menosprezar a morte. Ele estava apenas se referindo ao argumento anterior. Na opinião dele, a morte não será nada para nós, porque não restará um "nós" para sofrer por causa dela.[14]

Os estoicos acreditavam que a alma, ou nossa força vital – tanto mental quanto biológica –, é matéria. Por causa disso, eles deixaram em aberto a possibilidade de que a alma pudesse sobreviver de alguma forma após nossa morte física, ou que pudesse sobreviver por certo período. Como alternativa, ela pode se fundir com a inteligência e a força vital de todo o universo. Sêneca e Marco Aurélio não tinham certeza de que isso fosse provável, mas ambos mantiveram a mente aberta para essa possibilidade. Em todo caso, não importa o que aconteça de fato, nenhum dos estoicos acreditava que havia algo prejudicial na morte, mesmo no pior dos cenários, em que seríamos simplesmente aniquilados.

O QUE TORNA A VIDA DIGNA DE SER VIVIDA?

> O bem da vida não depende da sua duração, mas do uso que fazemos dela.
>
> Sêneca, *Cartas* 49.10

Um estoico tenta *progredir*, e o progresso é uma jornada. Para Sêneca, há uma direção definida nessa jornada: tornar-se um ser humano virtuoso ou "completo". No estoicismo, isso implica desenvolver nosso caráter e nossa racionalidade para que possamos compreender e possuir o que é verdadeiramente bom na vida. Quando uma pessoa chega ao destino final, além de ter desenvolvido um caráter íntegro, ela alcança a liberdade humana, a tranquilidade e a alegria duradoura (veja o Capítulo 14). Nesse momento, para Sêneca, a vida está verdadeiramente completa, e vive-se da maneira mais plena possível. A pessoa alcançou o que Sêneca chama de "vida feliz" – um estado de bem-estar profundo e duradouro. Embora eu evite traçar paralelos entre diferentes tradições, é difícil ler as ideias de Sêneca sobre esse estado sem pensar nas palavras "iluminação" ou "libertação" das tradições orientais.

Depois que alguém conquista a vida feliz, sua existência está de fato completa, independentemente de sua duração. Para Sêneca, isso significa que, assim que alcançamos a verdadeira felicidade, ou um estado de espírito abençoado, viver por mais tempo não nos tornará mais felizes. Embora viver mais não nos deixe mais contentes, os dias ou anos extras serão a cereja do bolo de uma vida já feliz. Segundo ele, o principal ponto positivo em se viver uma vida virtuosa ou feliz é que "ela não precisa do futuro nem conta os dias". Isso porque "qualquer que seja sua duração, ela usufrui de um bem eterno".[15] Para Sêneca, encontrar a verdadeira felicidade é experimentar algo atemporal, que não pode ser superado; é "o ponto mais alto", o objetivo principal de estar vivo.

Como Sêneca enfatiza repetidamente em diferentes textos, é a qualidade da vida, não sua extensão ou duração, que importa. Minha descrição favorita dessa ideia é aquela em que ele diz que a vida é como um espetáculo: não é a duração da peça que importa, mas a qualidade da apresentação.[16]

Para Sêneca, o que importa na vida é a conquista de um caráter virtuoso, não a duração da existência. Alcançar a vida feliz é viver plenamente, pelo tempo que for. Ele aponta que muitos idosos simplesmente "existiram" por muito tempo, mas não viveram de fato. E algumas pessoas, infelizmente, acabam morrendo antes de começarem a viver plenamente.

Sêneca deu um exemplo disso quando escreveu para Lucílio sobre um amigo em comum, um filósofo chamado Metronax, que morreu muito jovem. Mesmo assim, ele desenvolveu um caráter perfeito. Pode-se lamentar que ele tenha morrido na flor da idade, mas segundo Sêneca:

> Ele cumpriu os deveres de bom cidadão, bom amigo e bom filho. Não falhou em nenhum aspecto. Embora sua vida tenha sido incompleta, foi perfeita. Outro homem pode parecer viver por oitenta anos, mas simplesmente *existir* durante esses oitenta anos – a menos que você chame de "viver" a maneira como as árvores vivem. Eu lhe imploro, Lucílio: vamos prosseguir de maneira que nossas vidas sejam medidas como os objetos mais preciosos – não por seu tamanho, mas por seu valor. Vamos medir nossas vidas por seu desempenho, não por sua duração.[17]

Enfim, para Sêneca, é a *qualidade*, não a duração da vida, que nos permite viver plenamente.

AS BÊNÇÃOS E OS PERIGOS DA VELHICE

> Nosso bem não está apenas em viver, mas em viver bem. Portanto, a pessoa sábia vive tanto quanto deve, não tanto quanto pode... E sempre reflete sobre a qualidade de sua vida, e não sobre sua extensão.
>
> Sêneca, *Cartas* 70.4

Ninguém sabe quanto tempo vai viver; isso é algo que escapa totalmente ao nosso controle. Dito isso, dados os avanços da medicina e da tecnologia, hoje a chance de alguém passar dos 90 anos aumentou drasticamente desde a época de Sêneca. Mas com a velhice extrema chegam também as dificuldades, à semelhança do desgaste da casa de campo de Sêneca. Chega uma hora em que a estrutura muito antiga simplesmente se desintegra, pouco a pouco. Isso também se aplica a corpos que envelhecem.

Para Sêneca, a velhice pode ser uma bênção e um dos momentos mais agradáveis da vida. Ele escreve:

> Vamos aceitar e amar a velhice. Ela é cheia de prazeres se você souber como vivê-la. As frutas são mais doces quando maduras, pouco antes de estragar. O charme da infância é maior no final. Para quem aprecia o vinho, é o último gole que traz prazer – aquele que anestesia você, dando o impulso final à embriaguez. Todo prazer reserva os momentos mais doces para o fim. O momento mais prazeroso da vida é quando descemos a colina, mas ainda não ultrapassamos o limite. Até mesmo o tempo que se passa à beira do limite pode ter os seus prazeres, eu acredito.[18]

Sêneca achava que a velhice é algo a ser valorizado e que pode ser um dos períodos mais felizes da vida. Mas se você viveu por muito tempo, chega-se a um ponto em que a vida parece "uma morte lenta". Talvez pelo próprio medo da morte algumas pessoas acreditem que a vida deve ser preservada a qualquer custo, em quaisquer condições, mesmo que isso signifique manter um ente querido inconsciente, ligado a uma máquina, sem esperança de recuperação. Como você deve ter adivinhado, Sêneca não teria concordado com essa forma de pensar. Ele escreveu: "Que tipo de vida é uma morte lenta? Existe alguém que deseje se consumir em meio a dores, com os membros morrendo um a um, perdendo o fôlego aos poucos, em vez de dar o último suspiro de uma vez?"[19]

Como Sêneca observou várias vezes: "O que importa não é quanto você vive, mas com quanta nobreza você vive",[20] e ser deixado sozinho em um quarto de hospital, definhando, não é a maneira mais nobre de partir deste mundo. A filosofia de Sêneca, portanto, tem implicações significativas hoje para se refletir sobre as questões do fim da vida.

Tanto os estoicos gregos quanto os romanos permitiam o suicídio em condições extremas, muito mais prováveis no mundo antigo do que hoje. Mas, suicídio à parte, não há dúvida de que Sêneca defenderia fortemente a *euthanasia* ou a "boa morte", em vez de viver anos em um estado de incapacitação. Segundo ele: "Poucos passaram da velhice extrema para a morte sem ficarem debilitados, e muitos permaneceram inertes, incapazes de usar o corpo. Nesse caso, a perda mais cruel na vida é a perda do direito de encerrá-la."[21]

Sêneca não achava que a velhice era algo a se ansiar, mas tampouco que se devia rejeitá-la. No fim das contas, visto que cada vida é diferente, envelhecer pode ser uma bênção ou um estorvo. Como ele escreveu: "É agradável estar com você mesmo o máximo de tempo possível - se você é alguém com quem vale a pena estar."[22]

Apesar disso, Sêneca estabeleceu o próprio limite. Ele escreveu a Lucílio:

> Não abandonarei a velhice enquanto ela preservar todo o meu ser, e com isso quero dizer a íntegra da melhor parte de mim. Mas, se ela começar a fragmentar minha mente e destruir partes dela - se eu não puder mais *viver*, mas apenas respirar -, então vou saltar daquele edifício em ruínas, desmoronando.[23]

Isso faz todo o sentido porque, para um estoico, ser capaz apenas de continuar respirando, sem dispor das faculdades mentais - da capacidade de pensar, conhecer e apreciar -, não é viver.

VIVER CADA DIA COMO SE FOSSE O ÚLTIMO

> Pretendo viver cada dia como se fosse uma vida completa.
>
> Sêneca, *Cartas* 61.1

Todo mundo já ouviu o ditado: "Viva um dia de cada vez." Quer esse conselho remonte à época de Sêneca ou não, certamente remete ao filósofo em essência.

Como Sêneca ressalta várias vezes, as pessoas ficam ansiosas por se preocuparem com o futuro. Mas isso acontece porque elas ainda não "se encontraram" de modo a viver de forma plena e desfrutar profundamente do momento presente.

Sêneca diz que devemos viver cada dia como "uma vida completa", como se fosse nosso último dia de vida. Para ele, essa ideia é uma prática interior brilhante que une muitos temas diferentes em sua obra: a plenitude da vida feliz, a importância de viver o momento presente, o *memento mori* e a nossa libertação de toda ansiedade, incluindo o medo da morte.

Como Steve Jobs disse certa vez em um discurso para estudantes universitários:

> Quando eu tinha 17 anos, li uma citação que dizia algo como: "Se você viver cada dia como se fosse o último, um dia você certamente terá razão." Fiquei impressionado e, desde então, nos últimos 33 anos, tenho me olhado no espelho todas as manhãs e me perguntado: "Se hoje fosse o último dia da minha vida, eu gostaria de fazer o que vou fazer hoje?" E sempre que a resposta é "Não" por muitos dias seguidos, sei que preciso mudar alguma coisa.[24]

Infelizmente, nunca saberemos se foi uma citação de Sêneca que inspirou essa meditação diária praticada por Steve Jobs. Mas, independentemente disso, é sem dúvida uma boa prática, que incentiva a pessoa a refletir sobre sua vida como um todo, incluindo a qualidade dela naquele exato momento.

Sêneca acreditava plenamente que cada dia *poderia* ser o último. Ele achava que deveríamos levar em consideração nossa morte iminente, sem qualquer sinal de ansiedade, mas com uma aceitação alegre, ainda que a morte chegasse hoje. Na prática, isso significa que não devemos ir para a cama à noite com pendências importantes. "Vamos pensar", escreveu ele, "como se tivéssemos chegado ao fim. Não vamos adiar nada. Vamos acertar nossas contas com a vida todos os dias".[25] Essa prática nos incentiva a não ter certeza de nada, a olhar a vida passada com gratidão, e nos lembra de vivermos o mais plenamente possível, de acordo com nossos valores mais profundos.

Para Sêneca, ser capaz de ir dormir com um sentimento de gratidão, pensando que a vida pode realmente acabar, é uma característica de quem viveu uma vida completa. Mas, se acordamos de manhã, "vamos recebê-la com alegria" e aceitar mais um dia com gratidão. "A pessoa feliz e dona de si", escreveu Sêneca, "aguarda o dia seguinte sem ansiedade. Aquele que diz 'Vivi completamente' levanta-se todas as manhãs com uma vantagem: ganhou um dia a mais".[26]

CAPÍTULO 12

Dê ao luto seu devido valor

As lágrimas caem mesmo se tentamos contê-las, e chorar alivia a mente.

Sêneca, *Cartas* 99.15

DEIXE AS LÁGRIMAS BROTAREM

Os primeiros estoicos gregos defendiam uma teoria severa e estranha demais: se um sábio estoico ou uma pessoa sábia perder um amigo próximo para a morte, ele não chorará a morte do amigo, porque suas emoções teriam origem em opiniões falsas. Sêneca rejeitava veementemente essa visão e considerava lágrimas de luto muito apropriadas. Ele escreveu: "Sei que há homens de sabedoria dura, em vez de corajosa, que dizem que um sábio nunca sentirá a dor do luto", o que ele considerou desumano.[1] Em outro texto, Sêneca escreveu: "Não excluo o sábio da categoria geral da humanidade, nem rejeito sua sensação de dor como se ele fosse algum tipo de rocha sem nenhum sentimento."[2]

Para Sêneca, as lágrimas que vertemos quando perdemos um ente querido não vêm de juízos equivocados. Elas são resultado de sentimentos humanos naturais no nível mais profundo de nosso ser. Em outras palavras, elas são instintivas. Em uma de suas cartas, Sêneca conta que chorou pela morte de um amigo próximo. É bastante seguro imaginar que Sêneca também tenha chorado pela morte de seu único filho, que faleceu ainda bebê, apenas 20 dias antes de Sêneca ser exilado na ilha da Córsega pelo imperador Cláudio. Ele descreve a criança morrendo nos braços da avó – Hélvia, a mãe de Sêneca – enquanto ela cobria o bebê de beijos. Marco Aurélio também perdeu muitos filhos, e ele é conhecido por ter chorado em público pela morte de seus amigos.

Sêneca acreditava que o choro é apenas de uma resposta natural, fisiológica, a um sentimento humano (veja o Capítulo 4). Como o sentimento de luto e o choro são instintivos, eles não são baseados em crenças ou juízos falsos como as emoções negativas. Sêneca sabia que até os animais lamentam a perda de seus filhotes. As aves mães ficam angustiadas se retornam ao ninho e descobrem que falta um ovo. Mesmo entre espécies o luto pode acontecer: os cães muitas vezes lamentam a perda de um dono querido quando ele morre, da mesma forma que uma pessoa chora a perda de um animal de estimação.

Sêneca levava o luto a sério. Na verdade, ele escreveu cinco obras no intuito de consolar amigos e familiares que haviam perdido entes queridos.[3] Nesses textos, ele nos oferece conselhos valiosos sobre como vivenciar o luto da melhor maneira, como reduzir a dor da perda antes que ela apareça e como transformar o luto em algo positivo – lembranças alegres daqueles que perdemos.

A abordagem básica de Sêneca para o luto é que devemos dar a ele seu devido valor. Em outras palavras, devemos permitir que nossas lágrimas naturais brotem livremente, sem forçá-las e sem fazer o luto parecer mais intenso só porque estamos na presença de outras pessoas.

Para Sêneca, existem diferentes tipos de lágrimas. As *lágrimas de choque* surgem assim que ficamos sabendo da perda amarga de um ente querido e quando vemos seu corpo sem vida, talvez em um funeral. Não temos nenhum controle sobre essas lágrimas. É como se elas fossem expulsas de nós pela própria natureza, enquanto a dor do luto nos faz ofegar profundamente e sacode todo o nosso corpo. Esse tipo de lágrima é involuntário e escapa ao nosso controle.[4]

Outro tipo, que podemos chamar de *lágrimas de alegria*, aflora quando nos lembramos docemente de alguém que perdemos. Pensamos na voz agradável da pessoa, nas conversas alegres que tivemos com ela e em suas ações notáveis. Ao contrário das lágrimas mais duras, de choque, esse segundo tipo não nos é imposto contra nossa vontade, mas brota das memórias felizes e doces que temos.[5]

Às vezes, as lágrimas brotam sozinhas até mesmo de um sábio estoico. Quando isso acontece, não se trata de uma emoção negativa, apenas de um sinal da humanidade daquela pessoa. Da mesma forma, observa Sêneca, é possível chorar quando se está tranquilo e em paz.[6]

EM BUSCA DO MEIO-TERMO

> Não permita que seus olhos fiquem secos quando você perder um amigo, e não permita que transbordem. Podemos chorar, mas não devemos nos lamuriar.
>
> Sêneca, *Cartas* 63.1

> Até mesmo o luto tem sua própria forma de moderação.
>
> Sêneca, *Consolação a Márcia* 3.4

Para Sêneca, porque somos seres humanos profundamente ligados a quem amamos, é natural ficarmos tristes e chorarmos diante da perda de um ente querido. É catártico também. Toda essa tristeza não pode ser contida; ela precisa ser liberada. O choro é um fenômeno complexo e não é totalmente compreendido. Mas agora sabemos que chorar libera oxitocina e endorfina. Essas substâncias químicas ajudam a aliviar a dor e, como elevam o humor, fazem as pessoas se sentirem melhor e mais calmas.[7]

Sêneca não tinha problemas com o luto e as lágrimas, contanto que permanecessem genuínos ou naturais. Mas algumas pessoas expandem sua tristeza além do que a natureza exige, e outras a elevam à loucura. Por exemplo, pouco se sabe sobre Márcia, a primeira pessoa a quem Sêneca escreveu, procurando ajudá-la a superar o luto. Mas Sêneca lhe escreveu por causa do estado de profundo desespero em que ela se encontrava após perder o filho Metílio, que morrera três anos antes. Embora Sêneca acreditasse que Márcia possuía coragem e um caráter forte, ele sentia que ela mantinha vivo o choque inicial da perda a ponto de se tornar um tipo grave de doença. Como ele disse: "Você abraça e se agarra à sua dor, mantendo-a viva no lugar de seu filho."[8]

Sêneca acreditava que devemos buscar algum tipo de moderação no luto e que não é natural que ele seja extremo ou se prolongue por longos períodos. Sêneca também se opunha ao modo como, algumas vezes, as pessoas fazem sua dor parecer mais intensa quando a expressam em público. Como ele disse a Lucílio, vamos permitir que nossas lágrimas brotem, "mas não as forcemos a isso. Vamos chorar de acordo com nossa verdadeira emoção, não para imitar os outros. Não vamos acrescentar nada ao nosso luto real, nem aumentá-lo copiando o exemplo dos outros. A demonstração pública do luto exige mais do que o luto sincero necessita".[9]

Sêneca notou que, diante de outros, as pessoas geralmente lamentam mais alto para que sejam ouvidas. Mas, quando os espectadores vão embora, a tristeza delas diminui, já que não está mais exposta. Por valorizar a autenticidade, Sêneca acreditava que nossa tristeza deveria ser sincera ou baseada naquilo de que nós e a natureza precisamos. Ela nunca deve se transformar em uma performance diante de uma plateia.

Por isso, Sêneca buscava a moderação no luto. Não queremos que falte amor ou sentimento sincero à nossa tristeza, mas também não queremos que ela se torne uma forma de representação – ou, pior ainda, que se pareça com loucura. Quando perdemos alguém próximo, ficar sempre dominado pela dor do luto pode se tornar um tipo doentio de autoindulgência. Por outro lado, não sentir tristeza seria insensível e desumano. Mesmo no luto, devemos buscar um equilíbrio entre a razão e o afeto sincero.[10] Sêneca recomenda a seu amigo Políbio, que perdeu o irmão:

> Permita que a razão alcance um meio-termo que não se pareça com falta de amor nem um tipo de loucura, e que nos mantenha em um estado de espírito afetuoso, mas não angustiado. Deixe que as lágrimas brotem, mas também que cessem. Deixe que os suspiros saiam do fundo de seu peito, mas também que encontrem um fim. Governe sua mente para que você conquiste a aprovação tanto dos sábios quanto da sua própria família.[11]

É natural que a tristeza do luto desapareça com o tempo. Mas é ainda melhor se pudermos superar a dor, em vez de apenas ficarmos saturados dela. Como Sêneca aconselhou a Lucílio: "É melhor você abandonar a dor, em vez de deixar que ela abandone você."[12]

REDUZINDO O CHOQUE DO LUTO

> Há alguém que chore por algo que sabe ser inevitável? Reclamar da morte de alguém é reclamar porque a pessoa era mortal.
>
> Sêneca, *Cartas* 99.8

É impossível evitar o surgimento do luto quando perdemos um ente querido. Mas é possível minimizar o choque da dor se nos conscientizarmos previamente de que todos que conhecemos são mortais e que, um dia, nossos caminhos vão se separar para sempre. Sêneca chegou a sugerir que, quando alguém dá à luz uma criança, é bom pensar: "Eu dei à luz um ser mortal."[13] Não se trata de um pensamento insensível, apenas uma verdade sobre a natureza humana.

Saber que alguém está morrendo reduz drasticamente o choque ou a surpresa da perda. Quando eu tinha 27 anos, meu pai, que teve uma vida notável, foi hospitalizado. Era claro que seu fim estava próximo. Cerca de um mês depois, ele morreu, no dia 31 de dezembro. Como eu costumava dizer: "Ele partiu com o ano velho." Se tivesse vivido apenas mais seis dias, teria completado 75 anos. Na época, vivi uma dor profunda, mas, como todos esperavam sua morte, o choque inicial foi muito menos intenso do que teria sido se ele tivesse morrido de repente.

Como observa Sêneca, "aqueles que antecipam a chegada do sofrimento retiram dele a força com que chega".[14] É difícil, porém, imaginar que pessoas muito jovens possam morrer de repente, a qualquer momento. É por isso que é útil nos lembrarmos, de vez em quando, de que isso pode acontecer. Até mesmo Sêneca falhou em seguir os próprios conselhos à época da morte de um amigo íntimo, Aneu Sereno, que ainda era jovem. Como Sêneca confidenciou a Lucílio: "Chorei muito por meu querido amigo." Isso porque Sereno era muito mais jovem e, como Sêneca disse: "Nunca imaginei que sua morte acontecesse antes da minha." Ele concluiu: "Pensemos continuamente tanto em nossa própria mortalidade quanto na de todas as pessoas que amamos... O que pode acontecer a qualquer momento pode acontecer hoje."[15]

Uma de minhas ideias estoicas favoritas é que tudo o que temos, ou acreditamos ter, é apenas "um empréstimo do universo". *Tudo.* E um dia todas essas coisas precisarão ser devolvidas. Sêneca traz isso à tona em sua mensagem a Márcia, que ainda vivia um luto profundo pela morte do filho, como se tivesse acontecido ontem. Sêneca diz a Márcia que "todas as coisas extraordinárias que cintilam ao nosso redor", incluindo filhos, honras, riquezas e tudo que depende do acaso incerto, "não nos pertencem, estão apenas emprestadas".[16] Nenhuma delas é um dom permanente. Ele explica ainda:

> Precisamos amá-las com a consciência de que não temos a promessa de que as teremos para sempre, nem de que as teremos por muito tempo. Precisamos nos lembrar sempre de que devemos amar as coisas como se fosse certo que nos deixarão ou como se já estivessem partindo. Aceitemos o que a Fortuna dá, percebendo que não há garantias.[17]

Epicteto disse: "Nunca diga 'Perdi algo'; diga apenas: 'Devolvi'",[18] mesmo que seja uma pessoa querida. Como Sêneca escreveu a Políbio, quando seu irmão faleceu: "Vamos nos alegrar com o que nos é dado e devolvê-lo quando nos for pedido."[19] Sêneca explicou em outro momento que quem vê o mundo corretamente percebe que todas as suas propriedades, e até mesmo sua vida, são um dom temporário da Fortuna. Assim, a pessoa viverá como se tudo fosse emprestado e estará pronta para, sem tristeza, devolver esses dons quando o universo finalmente os pedir de volta.[20]

Alguns leitores presumiram erroneamente que os estoicos, ao pensarem assim, estavam defendendo que nos distanciássemos emocionalmente daqueles ao nosso redor. Mas nada poderia estar mais longe da verdade. Saber que nada é permanente é apenas aceitar um fato da natureza. Não tem a ver com a capacidade de amar profundamente. Perceber que meus entes queridos não são permanentes me encoraja a valorizá-los com mais profundidade. Isso me deixa ainda mais grato pelo tempo limitado que temos juntos.[21]

TRANSFORMANDO LUTO EM GRATIDÃO

Continue se lembrando, mas pare de sofrer.

Sêneca, *Cartas* 99.24

Não reclame sobre o que foi tirado, mas agradeça pelo que recebeu.

Sêneca, *Consolação a Márcia* 12.2

Sêneca tem uma estratégia brilhante para dissipar a dor do luto a longo prazo. Quando perdemos um ente querido, certamente sofremos por um período. Mas, à medida que o sofrimento começa a desaparecer, podemos substituir os sentimentos tristes por lembranças alegres e agradáveis.

A profunda percepção de Sêneca é que, de certa forma, a dor é egoísta e destituída de gratidão por nossos entes queridos. Em vez de nos deixarmos abater por ingratidão e tristeza, sejamos gratos pelas experiências maravilhosas que tivemos juntos. Como ele escreveu a um amigo que perdera um filho ainda pequeno: "Muitas pessoas não contam as bênçãos grandiosas que receberam nem as alegrias vividas. Esse é apenas um dos motivos pelos quais o tipo de luto delas é ruim: não só é desnecessário, mas também ingrato."[22]

Ele continua:

> Você enterra uma amizade junto com o amigo? E por que chorar por ele como se ele não beneficiasse mais você? Acredite em mim: grande parte das pessoas que amamos permanece conosco, mesmo que o acaso as tenha levado. Cabe a nós preservar o tempo que passou, e nada é mais seguro do que aquilo que acabou.[23]

Sêneca está correto ao dizer que, com o tempo, a dor do luto pode ser substituída por lembranças felizes. Por vários anos depois da morte de meu pai, senti alguma tristeza na época de sua morte, no fim de cada ano. É como se houvesse um espaço vazio que ele deveria ocupar. Muitos outros que perderam membros da família também experimentaram esse tipo de tristeza. Mas isso foi há muito tempo. Hoje, quando penso em meu pai ou mesmo em sua morte, não sinto nenhum pesar – apenas uma sensação de felicidade e gratidão pelo tempo que passamos juntos. Mas quando a mente está dominada pelo luto e pela tristeza, é difícil abrir espaço para as memórias felizes e a gratidão que honrariam mais profundamente essa pessoa querida. Ser capaz de substituir a tristeza pela gratidão não é apenas possível; é crucial para levarmos uma vida feliz.

Sêneca diz que isso se aplica até mesmo a quem perdeu filhos pequenos. As lembranças que temos deles ainda podem nos trazer alegria, mesmo que a vida deles tenha sido curta. Como disse Sêneca a Márcia: "Seu filho merece fazê-la feliz sempre que você pensa nele, sempre que menciona o nome dele – e você o honrará mais se saudar sua memória com contentamento e alegria, tal como ele era saudado quando estava vivo."[24] Em vez de lamentar, de acordo com Sêneca, lembre-se de todos os momentos felizes que você passou com seu filho e de "seus carinhos afetuosos e pueris".[25]

CAPÍTULO 13

Amor e gratidão

A ansiedade não é adequada a uma mente grata. Pelo contrário, toda preocupação deve ser combatida por meio de uma profunda autoconfiança e da consciência do amor verdadeiro.

Sêneca, *Dos benefícios* 6.42.1

AMOR E AFETO ESTOICOS

Como vimos, o estereótipo de que os estoicos são frios e insensíveis não é verdadeiro. Na realidade, os estoicos consideravam o amor e o afeto a emoção humana primordial. Eles colocavam o amor em uma categoria isolada. Na opinião de Sêneca, os estoicos tinham mais amor pela humanidade do que qualquer outra escola filosófica. Segundo eles, amor e afeto constituem a própria base da sociedade humana. Eles percebiam que pais amam instintivamente seus filhos. Também pensavam que esse tipo de afeto primordial poderia ser estendido para toda a humanidade. Por isso Sêneca escreveu: "A sociedade só pode permanecer saudável por meio da proteção mútua e do amor de seus integrantes."[1] Por causa disso, não é exagero dizer que a ética estoica é essencialmente baseada no amor. O fato de que as pessoas amam umas às outras é um aspecto da lei natural, que fornece uma base para a comunidade humana e a sociedade.

Como o mais generoso dos escritores estoicos, Sêneca menciona muitas vezes a importância do amor, do afeto e da gratidão. Porém, é muito mais pela forma bondosa e afetuosa com que ele se refere às pessoas em sua vida que aprendemos sobre a importância do amor em seus escritos. Como observou a acadêmica clássica Anna Lydia Motto: "Sêneca aprendeu muito sobre amor, bondade e generosidade com os membros da própria família." Em seus escritos, "nota-se uma compreensão profunda do verdadeiro sentimento de amor em seus diferentes aspectos – amor pela família, pelos amigos, pelo cônjuge, pelos semelhantes, pelo próprio país".[2]

Todos nós podemos definir o amor como uma emoção, mas os estoicos romanos enfatizavam um tipo específico de amor: *philostorgia*. Esse termo pode ser traduzido como "amor pela família", "afeto humano" ou "amor familiar". É o tipo de amor que os estoicos dedicavam à humanidade como um todo, que também é uma forma de filantropia ou amor por toda a humanidade. Marco Aurélio menciona esse tipo de amor várias vezes. Como ele sempre lembra a si mesmo, nascemos para amar os outros e a própria humanidade. "Ame aquelas pessoas que o destino colocou à sua volta", escreveu ele, "mas ame verdadeiramente".[3]

Ele também escreveu para expressar gratidão a seus vários professores. Mas em um comentário sobre um desses professores, o filósofo Sexto, Marco Aurélio resumiu todo o pensamento estoico sobre o amor e as emoções. Segundo ele, Sexto nunca demonstrou o menor sinal de raiva ou qualquer outra emoção negativa. Ao contrário, "ele era totalmente livre de paixão (*pathos*) e cheio de afeto humano".[4] Este, de fato, é o ideal estoico: estar cheio de amor pelos outros e totalmente livre de emoções violentas e negativas.

Por fim, os estoicos achavam que uma pessoa deve amar livremente e com generosidade, sem esperar nada em troca. Nas palavras do filósofo William O. Stephens: "Pode-se amar alguém sem condicionar esse amor a ser sempre correspondido. Essa é a convicção de que o amor deve ser dado de forma irrestrita, com alegria pura e sem se misturar à tristeza."[5]

Outra emoção estoica que tem sido quase totalmente esquecida é o sentimento natural de gratidão. A gratidão era especialmente importante na cultura romana; Sêneca e outros estoicos romanos enfatizaram a importância dessa emoção de forma consistente. Cícero dizia que "a gratidão não é apenas a maior virtude, é a mãe de todas elas".[6] Sêneca, por sua vez, escreveu que "entre nossos muitos e grandes vícios, a ingratidão é o mais comum".[7] Sêneca escreveu um longo livro, *Dos benefícios*, que foi chamado de "o primeiro (e, por muitos séculos, o único) grande tratado sobre a gratidão no pensamento ocidental".[8] Em parte, esse texto é sobre a arte de dar, apreciar e devolver "benefícios" ou "favores".

Na época de Sêneca, e mesmo antes, os ricos patronos romanos tinham "clientes" que os saudavam pela manhã em troca de benefícios ou favores – financeiros, sociais ou políticos. Eles, então, caminhavam juntos pelo Fórum em Roma. Os benefícios muitas vezes eram compensados ou devolvidos de alguma forma, então havia todo um código social e um ciclo que envolvia dar, receber com agradecimento e devolvê-los.[9] Esse era um tipo de cola que mantinha a sociedade unida, especialmente entre os cidadãos da elite de Roma, mas não é o tema principal dos escritos de Sêneca sobre gratidão. Mesmo assim, em toda a filosofia da gratidão, não houve ninguém que fosse "tão revolucionário e radical quanto Sêneca". Isso porque, como explica o filósofo Ashraf Rushdy, Sêneca transformou a maneira como todo o tema da gratidão foi analisado por pensadores posteriores. Como Rushdy enfatiza, Sêneca discutiu *todos* os tipos de gratidão que viriam a ocupar as mentes dos pensadores que o sucederam, incluindo a gratidão sagrada, a gratidão cósmica, a gratidão secular, a gratidão pessoal, entre outras.[10]

Como veremos, existem três tipos principais de gratidão, e as pessoas os sentem há milhares de anos. No entanto, o curioso é que, apesar da importância crucial dessa emoção no estoicismo romano, esse é um tópico quase totalmente ignorado nos estudos estoicos.[11]

Amor e gratidão andam juntos porque ambos envolvem *apreço*. Seria difícil, se não impossível, amar alguém sem apreciá-lo. A gratidão também é uma forma de apreço. O escritor estoico Donald Robertson certa vez deu uma palestra sobre estoicismo e amor, na qual falou: "É possível ver o estoicismo fundamentalmente como uma filosofia do amor."[12] De modo semelhante, podemos dizer: "Apreço e gratidão definem como um estoico vê o mundo." Mesmo que nós e todos ao nosso redor sejamos seres mortais, um estoico ainda pode se relacionar com todos com amor, apreço e gratidão.[13] Embora não haja nada de misterioso nisso, há outra dimensão da gratidão estoica que alguns leitores podem achar confusa a princípio. Esse "tipo diferenciado de gratidão" tem sido chamado de gratidão "cósmica", "não pessoal" e vários outros nomes, porque não é dirigido a uma pessoa específica.[14]

QUANDO COMECEI A EXPERIMENTAR os exercícios ou meditações filosóficas estoicos, fiquei surpreso ao descobrir que eles resultavam em sentimentos de gratidão e apreço, e já registrei alguns exemplos neste livro. Por exemplo, quando pratiquei a "premeditação de adversidades futuras" e imaginei minha casa sendo destruída por um incêndio ou por um terremoto (Capítulo 6), isso fez com que eu me sentisse grato por uma casa da qual, em razão da familiaridade, eu estava cansado. Marco Aurélio até mencionou esse tipo de gratidão como um objetivo da prática estoica. Ele explicou como podemos sentir felicidade ao apreciar coisas que já temos, em vez de buscar algo novo. Como lembrou a si mesmo: "Não sonhe com o que você não tem. Em vez disso, pense nas grandes bênçãos que você já *tem*, pelas quais se sente grato – e lembre a si mesmo de como sentiria falta delas se não fossem suas."[15]

Outra experiência de gratidão veio enquanto eu praticava o *memento mori*: a meditação estoica de pensar em minha própria morte e no fato de as pessoas que amo também serem mortais (Capítulo 11). Caminhando pela rua com meu filho pequeno, ambos usando máscara porque estávamos no auge da pandemia da covid-19, e sentindo o calor da mão dele na minha, lembrei que ambos somos mortais e que, em algum momento, estaremos separados para sempre. Mas isso me fez sentir uma gratidão profunda – não apenas por estar vivo com ele naquele momento exato, mas pelo tempo que nos resta juntos. Ao refletir sobre nossa mortalidade, não apenas valorizamos a vida mais profundamente, como também intensificamos muito a sensação de estarmos vivos no momento presente.

Outro exemplo de gratidão estoica envolveu substituir o luto por meu pai pela gratidão. Eu não tinha começado a ler Sêneca ainda, mas, em um processo natural ao longo do tempo, minha dor desapareceu e foi substituída por memórias felizes. Passei a me sentir grato pelos bons momentos que passamos juntos (Capítulo 12). Sêneca recomenda essa prática para ajudar as pessoas a superarem o luto. Penso agora que, se eu tivesse me concentrado conscientemente na gratidão pela vida dele, em vez de apenas deixar o tempo fazer seu trabalho, a dor provavelmente teria diminuído mais depressa.

Outra ideia estoica sobre a gratidão é que, quando estamos morrendo, devemos ser gratos pela vida e por todas as experiências que o universo nos deu. Exploraremos essa ideia no fim deste capítulo.

COMPREENDENDO A GRATIDÃO

> Devemos fazer todos os esforços para sermos o mais gratos possível.
>
> Sêneca, *Cartas* 81.19

O que torna a gratidão interessante é que ela é tanto uma emoção quanto uma virtude. Nas palavras do filósofo Robert Solomon, é "uma das emoções mais negligenciadas e uma das virtudes mais subestimadas".[16] Segundo ele, é significativo que a gratidão tenha a ver com a maneira como nos relacionamos com outras pessoas, sendo, portanto, "de vital importância para a ética". De uma perspectiva estoica, esta é outra maneira pela qual amor e gratidão estão unidos, como formas de apreço: ambos tornam possível uma sociedade ética e funcional. Em termos de desenvolvimento ético, não veríamos as pessoas sem amor ou gratidão como virtuosas. Nós as veríamos como se tivessem um grave defeito de caráter. Dito de outra forma, sem amor e gratidão, é simplesmente impossível viver bem. Ou, como Sêneca poderia dizer: sem amor e apreço, é impossível ter "uma vida feliz".

Ao longo da história da psicologia moderna, os psicólogos se dedicaram a tentar compreender o sofrimento e as patologias dos seres humanos, ainda que a maioria das pessoas seja feliz na maior parte do tempo. Em um estudo de 2000, em testes realizados aleatoriamente, 89% das pessoas encontravam-se em estado de felicidade, enquanto uma porcentagem bem menor relatava tristeza. A emoção negativa experimentada com mais frequência era a ansiedade.[17] Não surpreende que, de acordo com um estudo de 2007, pessoas felizes vivam cerca de 14% mais do que pessoas infelizes.[18]

Nos últimos anos, o estudo da "psicologia positiva", incluindo o estudo sobre a gratidão, surgiu como um novo campo de pesquisa. Psicólogos como P. C. Watkins descobriram que a gratidão não é apenas "um aspecto importante do bem-estar emocional". Pelo contrário, ela "realmente *provoca* o aumento da felicidade".[19] Depois de anos de estudo, Watkins concluiu que "a gratidão aumenta o bem-estar, porque psicologicamente *amplifica o que há de bom* na vida". Isso "porque ela distingue claramente quem e o que é bom para os indivíduos".[20] Obviamente, os estoicos (e as tradições religiosas do mundo) descobriram algo importante ao enfatizar a importância da gratidão na vida diária. Milhares de anos depois, os psicólogos estão começando a compreender e a estudar cientificamente a gratidão e outras emoções positivas.

Mas o que é gratidão? Em sua forma mais básica, é descrita como "o reconhecimento positivo dos benefícios recebidos".[21] É um sentimento de reconhecimento ou apreço por se receber algo de valor, um bem ou um presente. Muitas pessoas acreditam que a gratidão deva ser dirigida *a alguém*. Embora isso seja verdade em alguns casos, não se aplica a *todos* os tipos de gratidão.

Em essência, as pessoas experimentam três tipos principais de gratidão:

Tipos de gratidão	Objetos
Pessoal ou cívica	Outra pessoa
Teísta	Deus ou deuses
Cósmica, existencial ou não pessoal	Natureza, cosmos ou existência

Figura 8: Três tipos de gratidão.

1. **Chamo o primeiro tipo de *gratidão pessoal* ou *cívica* porque é dirigida a outra pessoa.** É o tipo de gratidão que sentimos em um ambiente social ou cívico quando alguém faz algo bom por nós ou nos oferece um presente.

2. **O segundo tipo é o que chamo de *gratidão teísta* porque é dirigida a Deus (ou aos deuses, se você for politeísta).** Se você for religioso – especialmente judeu, cristão ou muçulmano –, esse tipo de gratidão teísta será muito semelhante à gratidão pessoal, porque essas religiões enxergam Deus como *uma pessoa* e também como o doador supremo.

3. **Ao terceiro tipo de gratidão dou o nome de *gratidão cósmica, existencial* ou *não pessoal*.** É diferente dos dois primeiros porque não é dirigida a uma pessoa (um ser humano ou um deus). Pelo contrário, é direcionada à natureza, ao cosmos ou à própria existência. Às vezes não é direcionada a nada, é apenas um reconhecimento das bênçãos recebidas. Em certo sentido, é um sentimento espiritual, e era o tipo de gratidão que os estoicos experimentavam. Mas não é dirigida a um Deus criador que está fora do universo. Em outras palavras, é diferente das gratidões pessoal e teísta.

Às vezes, esses diferentes tipos de gratidão podem se misturar. Por exemplo, todas as manhãs, minha esposa põe na mesa de cabeceira uma xícara de chá-preto com leite, que eu bebo ao acordar. (Se ela não me trouxer uma xícara de chá, significa que está chateada comigo, o que é sempre importante saber!) Claro, quando ela me traz o chá, fico muito grato a ela como pessoa e sempre agradeço. Mas, enquanto tomo o chá, geralmente experimento outros tipos de gratidão também, o que é uma maneira perfeita de começar o dia. Às vezes fico grato pelo chá e pela cafeína em si, à medida que minha consciência começa a despertar. Às vezes me sinto grato pela sensação prazerosa de me sentar em uma cama quente e confortável e ter um teto firme sobre minha cabeça, especialmente porque algumas pessoas sem-teto são forçadas a dormir ao relento. Às vezes me sinto grato por ter ar puro para respirar. Às vezes fico grato por poder escrever enquanto bebo meu chá. E às vezes me sinto grato por *todas* essas coisas em um breve espaço de tempo. Mas, exceto quando fico agradecido pela minha esposa, os outros tipos de gratidão não são dirigidos a uma pessoa. Então como explicá-los?

Se você é religioso, espero que não se chateie comigo por dizer isso, mas não direciono minha gratidão a um deus pessoal ao beber meu chá. Isso significa que sou ateu? A resposta é "não". Dito isso, também não significa que eu seja um teísta. Pessoalmente, odeio ser colocado nesses tipos de categoria. Mas, se eu fosse forçado a me aprisionar em uma dessas caixas conceituais, provavelmente diria: "Estou mais para panteísta, como os estoicos, Spinoza e Einstein – e até mesmo sumidades populares como Carl Sagan."[22]

Os panteístas acreditam que não existe um Deus "fora" do universo. Em vez disso, acreditam que todo o universo é Deus, incluindo as leis e os princípios que o moldam. É claro que ateísmo, teísmo e panteísmo não são conceitos cientificamente testáveis. Mas, como Carl Sagan, acho o panteísmo uma *metáfora* muito mais útil do que a ideia de Deus como uma pessoa que existe fora do cosmos, como alguém que traçou um plano para o universo.[23] Com certeza, nenhum dos antigos filósofos gregos pensava em Deus dessa maneira.[24] Dito isso, independentemente das crenças (ou da ausência delas) religiosas das pessoas, posso me dar bem com qualquer um, especialmente se a pessoa reconhecer a importância do amor e da gratidão. Esses são traços de caráter e valores humanos fundamentais que devem unir a todos, independentemente de fé ou crença.

UM SENTIMENTO DIFERENTE DE GRATIDÃO

Algumas pessoas – principalmente filósofos analíticos (que se concentram na linguagem) ou teólogos (que acreditam em um Deus pessoal) – afirmam que *apenas* faz sentido ser grato a outra *pessoa*: isto é, a outro ser humano ou a Deus. Em outras palavras, eles acreditam que é impossível sentir gratidão cósmica ou não pessoal. Na minha opinião, esse é um pensamento um pouco duvidoso, que discrimina quem não pensa exatamente da mesma forma que eles. Isso implica que você precisa ter crenças especiais e limitadas para sentir gratidão. Também sugere que certos tipos de gratidão, que as pessoas experimentam há milhares de anos, não são intelectualmente confiáveis e estão "proibidos".

Sêneca acreditava que os seres humanos deveriam ser gratos a "Deus" e à "Natureza". Mas, como os estoicos eram panteístas, Sêneca observou cuidadosamente que os termos "Deus" e "Natureza" são *intercambiáveis*.[25] Panteísmo não é ateísmo, mas também não é teísmo. Embora a ideia de Deus não me incomode nem um pouco, sei que ela, assim como a religião, deixa algumas pessoas desconfortáveis. Então, se você está lendo um texto estoico antigo e se depara com o termo "Deus", você está totalmente livre para substituir esse termo pela palavra "Natureza" em sua mente. Nenhum estoico o culparia por fazer isso.

A gratidão é uma resposta à generosidade, especialmente a um presente dado sem motivos. O poeta persa Rumi (1207-1273) descobriu que o sol era um símbolo perfeito de generosidade, uma vez que, em suas palavras, "sua única característica é doar e prover". Ele escreveu: "O sol torna a terra verde e fresca e produz vários frutos nas árvores. Sua única função é doar e prover; ele não retira nada."[26] Sêneca, que escreveu cerca de 1.200 anos antes de Rumi, teria concordado com essa bela metáfora. Na verdade, e o que é um tanto surpreendente, o próprio Sêneca a usou. Para ele e outros estoicos, a Natureza, ou o universo, é generosa. Em certa passagem, ele sugeriu que o modelo máximo de generosidade concedida livremente era o trabalho dos "deuses", palavra que ele usava para se referir ao sol e aos corpos celestes:

> Nosso objetivo é viver de acordo com a Natureza e seguir o exemplo dos deuses. [...] Vejam os grandes esforços que eles fazem todos os dias, os dons generosos que concedem; vejam a riqueza das colheitas com que enchem as terras! [...] Eles fazem todas essas coisas sem qualquer recompensa, sem qualquer vantagem para si próprios.[27]

Como filósofos, os estoicos não acreditavam nos deuses tradicionais dos gregos e romanos. Ao contrário, viam esses deuses como personificações simbólicas dos elementos e dos poderes revigorantes da natureza – por exemplo, o mar, a chuva restauradora e a fertilidade.[28] Em outras ocasiões, os estoicos usavam a expressão "os deuses" para se referir ao sol e outros corpos celestes. Os movimentos do sol e dos planetas traçam padrões matemáticos ordenados, racionais e previsíveis ao longo do tempo, o que reforçou a crença estoica em um universo racional, sujeito às leis naturais.

Como panteístas, os estoicos não acreditavam em um Deus pessoal que estivesse fora do universo, como o Deus do teísmo e do cristianismo.[29] Mas também não eram ateus. Eles acreditavam em uma força profunda e unificadora, presente na natureza e no cosmos, que podemos descrever como racional, "divina", luminosa, fonte da ordem e da beleza naturais e digna de admiração. Sêneca resumiu com clareza a visão estoica: "O que mais é a Natureza, se não Deus e a razão divina que permeia o mundo inteiro e todas as suas partes?"[30] Devemos lembrar também que, para os estoicos, Deus não era sobrenatural, mas material - como um sopro ou uma energia vital permeando o universo.

Certamente os estoicos, como filósofos interessados em lógica e ciência, pensavam de forma diferente da maioria de seus vizinhos sobre ideias como Deus. Por exemplo, eles não interpretavam literalmente histórias e mitos sobre os deuses. Em vez disso, davam a elas interpretações simbólicas ou alegóricas em harmonia com a razão. Ao mesmo tempo, porém, eles não evitavam as práticas religiosas de seu tempo. Assim como o amor e a gratidão, os estoicos viam a reverência e a piedade como virtudes importantes que mantinham a sociedade coesa.

Para os estoicos romanos e para muitas pessoas hoje, a gratidão pode ser mais do que apenas uma emoção interpessoal ou social. Há muitas maneiras pelas quais podemos vivenciar a gratidão por dádivas e bênçãos que não vêm de outras pessoas. Sêneca, por exemplo, destacou todas as dádivas incríveis que recebemos da Natureza. Em uma passagem, ele lista algumas delas: "Tantas virtudes... tantas habilidades... nossa mente, da qual nada está oculto" e que "é mais veloz do que os corpos celestes". Recebemos "tanto alimento, tanta riqueza, tantas bênçãos que se sobrepõem umas às outras". Segundo ele, a natureza nos deu tanto que seria absurdo *não* sentir gratidão. E conclui: "Qualquer avaliação correta da generosidade da natureza nos obrigará a admitir que somos seus queridinhos."[31]

O filósofo Friedrich Nietzsche foi um ateu confesso que proclamou "a morte de Deus". Alguns o viam como um profeta do niilismo. Mas, no fim de sua carreira, Nietzsche viveu um "dia perfeito" e um sentimento espontâneo de profunda gratidão. Naquele dia, não apenas as uvas estavam amadurecendo sob o sol do outono, como, segundo ele descreveu, "um raio de sol iluminou a minha vida. Olhei para trás, olhei para a frente, e nunca tinha visto tantas coisas boas ao mesmo tempo." Então Nietzsche perguntou: "Como eu poderia deixar de ser grato por toda a minha vida?"[32]

Alguém perguntou a Richard Dawkins, o ateu mais famoso e franco de nosso tempo, se ele já teve uma experiência religiosa. Embora Dawkins tenha dito "Eu não chamaria isso de experiência religiosa", ele afirmou ter sentido uma profunda gratidão pela própria existência. E explicou algumas dessas experiências em um tom de voz profundamente comovido:

> Quando me deito de costas e olho para a Via Láctea em uma noite clara, com suas vastas distâncias de espaço que são também grandes diferenças de tempo, e quando olho para o Grand Canyon e vejo camadas e camadas descendo cada vez mais por épocas que a mente humana não pode compreender, sou tomado por uma sensação esmagadora de quase adoração. Não é a adoração de algo pessoal, da mesma forma que Einstein não adoraria nada pessoal. É uma espécie de *gratidão* abstrata por estar vivo para apreciar essas maravilhas. Quando olho por um microscópio, é a mesma sensação. Sou grato por estar vivo para apreciar essas maravilhas.[33]

Obviamente, como ateus, nem Nietzsche nem Dawkins estavam expressando gratidão a Deus por sua existência. Pela minha experiência, ao acordar e tomar chá pela manhã, muitos dos sentimentos de gratidão que experimento não são dirigidos a ninguém. Também acredito que essas experiências de gratidão cósmica, não pessoal ou existencial, são bastante comuns. Elas ocorrem com muita gente e elevam sua sensação de bem-estar. Podem ocorrer até com os ateus. Mas como podemos explicá-las?

Como observou o filósofo Robert Solomon, nem sempre devemos

pensar na gratidão em termos de um relacionamento pessoal. Em vez disso, "*a gratidão é uma emoção filosófica.* Em uma frase, é ter uma visão global".[34] Nesse sentido, a gratidão cósmica tem origem na experiência de viver em um contexto mais amplo. Ser grato por toda a sua vida, pela existência de um ente querido ou pela sublime beleza da natureza não é uma questão do tipo "ser grato a quem?". Ao contrário, como explica Solomon, é *estar ciente* dessas coisas em um contexto mais amplo que inspira um apreço profundo. Ele afirma: "Como muitos estados de espírito, a gratidão se expande além do foco em um objeto específico para incluir o mundo como um todo."[35] Esse tipo de gratidão é muito mais do que apenas uma resposta a uma transação social. E, como tal, certamente merece nossa atenção.

APREÇO ESTOICO

Em alguns casos, a gratidão pode ser uma forma de amor. Dizer a outra pessoa "Sou grato pela sua existência" é equivalente a expressar um tipo de amor. Às vezes, como forma de demonstrar amor, digo apenas: "Tenho apreço por você."

No cerne do estoicismo, enquanto estilo de vida filosófico, encontra-se um profundo senso de apreço, do qual emergem tanto o amor quanto a gratidão. Podemos apreciar profundamente a beleza de um pôr do sol, embora ele esteja mudando a cada momento e logo vá desaparecer. Sua transitoriedade contribui para sua beleza única. Da mesma forma, um estoico pode entender que tudo na natureza está mudando, é transitório e impermanente, incluindo nossa própria vida, sem reduzir a profundidade de seu apreço.

Os estoicos não buscam motivos externos para serem felizes, porque a felicidade vem de dentro. (A felicidade também vem de como decidimos perceber o mundo, com base em nossos juízos internos.) Um estoico, porém, pode encontrar um profundo senso de apreço e gratidão nas dádivas mais simples da vida: um pôr do sol, a mão de uma pessoa querida na sua ou mesmo uma refeição básica. Embora nossos bens reais estejam dentro de nós, ainda podemos sentir profunda gratidão por todas as dádivas que o universo nos oferece. Ao mesmo tempo, podemos perceber, por meio de olhos dispostos a apreciar, que as melhores dádivas do universo frequentemente são gratuitas ou dadas ao acaso. Por isso, podemos ter prazer em coisas simples, como uma xícara de chá em uma manhã ensolarada. Também podemos experimentar profunda felicidade e satisfação sem buscar um fluxo infinito e luxuoso de coisas. Como Sêneca observou, quem tem o suficiente já é rico. Quando vemos o mundo com apreço, até as experiências mais simples têm valor.

Para Sêneca, alguém que encontrou a felicidade ou o bem-estar será capaz, quando estiver diante da morte, de olhar para a vida com gratidão por tudo que o universo lhe deu. Da mesma forma, Epicteto descreveu repetidamente a vida e o mundo como se fossem um festival. Para ele, quando chegarmos ao fim da vida, deveremos ser gratos pelo tempo que estivemos vivos, gratos pela chance que tivemos de participar desse festival. Ele também afirmou que um filósofo deve estar repleto de gratidão pela oportunidade que teve de contemplar as maravilhas do universo e investigar a ordem inerente à natureza. E disse a seus alunos: "Que eu possa pensar, escrever e ler pensamentos como esses quando a morte me levar!"[36]

Marco Aurélio nos deixou uma imagem ainda mais intensa do tipo de gratidão que um estoico pode sentir no fim da vida. Como lembrou a si mesmo em suas *Meditações*:

> Passe por este breve momento vivendo de acordo com a natureza e faça com que seu fim seja alegre; da mesma forma que uma azeitona madura pode cair abençoando a terra que a gerou e grata à árvore que lhe permitiu desenvolver-se.[37]

Para ele, o fato de morrermos um dia faz parte da ordem providencial da natureza, que devemos aceitar sem reclamações, mas com gratidão. Os estoicos perceberam que nossas vidas são minúsculas e, de certa forma, insignificantes em relação à imensidão de todo o cosmos. Mas o simples fato de nos ter sido dada a chance de participar de um universo tão extraordinário e de uma sociedade humana deve ser visto como um presente e uma honra.

No fim, sentimos gratidão por algo bom e belo que recebemos - seja de uma pessoa ou da natureza, que continuamente concede essas dádivas. Como a luz que o sol oferece, essa generosidade não é conquistada por nós, mas concedida livremente a todos. Ao doar o dom da vida, o sol cobre de verde os prados da terra. Mas não pede nada em troca. Talvez desse modo, como os estoicos sugeriram, natureza, vida e todas as dádivas que recebemos reflitam a luz da generosidade, que o próprio universo concede sem restrições.

CAPÍTULO 14

Liberdade, tranquilidade e alegria duradoura

A liberdade é o prêmio que buscamos. Significa não ser servo de coisa alguma – de nenhuma compulsão e de nenhum acaso dos fatos. Significa reduzir o poder da Fortuna a um campo de combate igualitário.

Sêneca, *Cartas* 51.9

TORNANDO-SE LIVRE

A maior e mais radical promessa do estoicismo é de que a verdadeira felicidade está totalmente ao nosso alcance neste exato instante. Para os estoicos, "a felicidade 'depende de nós', e não da sorte, pois a pessoa que desenvolve um caráter íntegro possuirá uma profunda satisfação interior e o melhor e mais duradouro tipo de felicidade".[1]

E o mais importante: os estoicos nos ensinam exatamente como obter esse tipo de felicidade duradoura. Segundo eles, embora seja necessário algum esforço, o resultado final de "uma vida verdadeiramente digna de ser vivida" está ao nosso alcance. Neste capítulo final, vamos explorar exatamente como essa felicidade duradoura acontece, de acordo com Sêneca.

Para os estoicos romanos, o objetivo prático da filosofia era desenvolver um caráter interior íntegro ou excelente. Um dos resultados de se ter um bom caráter é viver com tranquilidade e paz de espírito, levando-se assim uma vida que realmente vale a pena ser vivida. Portanto, bom caráter e felicidade (*eudaimonia*) andam juntos.[2]

Para Sêneca – e para Epicteto, o mestre estoico que o seguiu –, a chave para desenvolver um bom caráter e a felicidade está na ideia de *liberdade* e no processo de se tornar livre. Como observa Sêneca, "a liberdade é o prêmio que buscamos" e, como ele escreve em outro texto, a promessa da filosofia estoica é "liberdade duradoura".[3] Na verdade, para Sêneca, "liberdade", "bom caráter" e "felicidade" estão tão intimamente relacionados que chegam a se sobrepor.

Para Sêneca, *liberdade* significa não ser servo de falsos juízos, emoções negativas extremas, raiva, compulsões, infelicidade, ansiedade quanto ao futuro, desejo por objetos materiais, sentimentos de injustiça emocional e de opiniões ou ações alheias. Essas são ideias que já exploramos neste livro. Mas, em outro sentido, liberdade também significa pertencer a si mesmo, viver uma vida que já é completa, e ser autossuficiente.

Como ex-servo, Epicteto não estava menos interessado na liberdade do que Sêneca. Não surpreendentemente, esse foi um dos principais temas de seus ensinamentos. Como Epicteto disse a seus alunos: "A liberdade é o maior bem, e ninguém que é realmente livre pode ser infeliz. Portanto, se vemos alguém que está infeliz, podemos saber, com segurança, que essa pessoa não é livre."[4]

Em um sentido estoico, ser livre é não se deixar perturbar por nada que "não dependa de nós", qualquer coisa que pertença ao reino do acaso ou da Fortuna. Liberdade também significa não estar sujeito a falsas opiniões que dão origem a preocupações, ansiedade, raiva e outras formas de sofrimento emocional.

Em uma definição apresentada por Sêneca, ele afirma que liberdade é "não temer humanos ou deuses, não desejar coisas que sejam baixas ou excessivas e ter total poder sobre si mesmo. Ser você mesmo é um bem inestimável".[5] Quando Sêneca menciona "ter total poder sobre si mesmo", ele está se referindo, pelo menos em parte, à liberdade de ser capaz de fazer juízos verdadeiros, o oposto de se tornar servo de falsas crenças e do condicionamento social negativo.

Para um estoico, a liberdade máxima é alcançada pela capacidade de fazer juízos verdadeiros. Só assim vamos realmente "pertencer a nós mesmos". Só então possuiremos verdadeiras liberdade e autossuficiência. Só então seremos capazes de menosprezar a Fortuna e de não permitir que nossa felicidade mental dependa de casualidades que escapam ao nosso controle.

AUTOSSUFICIÊNCIA E VIDA FELIZ: ESTAR ACIMA DA FORTUNA E DO ACASO

> Devemos escapar rumo à liberdade. Mas isso só pode acontecer por meio da indiferença à Fortuna.
>
> Sêneca, *A vida feliz* 4.4-5

A maneira de alguém se tornar livre, ou autossuficiente, é se colocando acima da Fortuna. Quanto mais atribuímos importância a coisas externas fora de nosso controle, menos temos chances de nos tornar livres. A ganância cega, observa Sêneca, nos encoraja a buscar coisas que nunca nos satisfarão. Se essas coisas externas *pudessem* nos satisfazer, já teriam feito isso. Mas, como ele observa, não costumamos levar em consideração "quanto não pedir nada é agradável, quanto é maravilhoso ficar satisfeito sem depender da Fortuna".[6] Ele escreve: "Posso mostrar muitas coisas que, uma vez adquiridas, roubam nossa liberdade. Mas ainda pertenceríamos a nós mesmos se essas coisas não nos pertencessem."[7]

A alternativa para buscar a felicidade nas coisas externas é perceber que nossos bens reais, nossas verdadeiras fontes de felicidade, são encontrados dentro de nós. As pessoas perseguem prazeres infinitos no mundo externo, em coisas luminosas e brilhantes. Mas esses objetos nunca são satisfatórios a longo prazo. Por outro lado, desenvolver um caráter íntegro traz felicidade duradoura, ao mesmo tempo que nos possibilita apreciar o valor das coisas externas pelo que são. Isso permite que um estoico, ou qualquer outra pessoa, experimente uma satisfação real.

Sêneca descreve a jornada para a autossuficiência e a realização de muitas maneiras, às vezes usando ricas metáforas. Ele descreve essa jornada como uma subida, como a escalada de uma montanha. Uma vez que o ponto mais alto é alcançado e nos elevamos acima da Fortuna, somos capazes de, “do alto, desprezar as coisas da Fortuna”, porque não estamos mais mentalmente ou psicologicamente sob o seu feitiço. Em vez disso, somos livres. Em uma imagem dramática, Sêneca descreve como esse tipo de autossuficiência oferece proteção total contra os ataques da Fortuna: “Todas as flechas da Fortuna que atacam a espécie humana batem em uma pessoa sábia e voltam como granizo que rola pelo telhado e derrete sem prejudicar a pessoa que está embaixo dele”.[8]

Para Sêneca, “chegar ao ponto mais alto” significa encontrar a verdadeira fonte da felicidade. Também envolve possuir uma alegria interior que ninguém mais poderia tirar. Como ele escreve: “Quem atinge as alturas conhece a fonte da verdadeira alegria, pois encontra a felicidade muito além do controle de qualquer outra pessoa.”[9]

É importante perceber, porém, que ter esse senso de autossuficiência não significa ser indiferente ou negligente em relação aos outros. Para Sêneca, o sábio estoico se destaca por sua bondade humana. Da mesma forma, ter autossuficiência não significa que não devamos valorizar as coisas que possuímos no mundo. A pessoa sábia *apreciará* e usará todas as dádivas da Fortuna que possa ter, mas não dependerá dessas coisas para ser feliz. Além de valorizar profundamente aqueles que amamos, devemos fazer pleno uso das dádivas da Fortuna que possuímos no momento, cientes de que todas essas coisas nos são emprestadas pelo universo. Elas não estão totalmente sob nosso controle. Uma pessoa autossuficiente pode apreciar tudo profundamente, mas não depende de eventos ou posses externos para experimentar felicidade duradoura. A felicidade de um estoico vem de dentro, de ter um caráter virtuoso.

Quando um estoico começa a viver “uma vida que já está completa”, naquele exato momento ele passa a pertencer de fato a si mesmo, tendo alcançado um estado de liberdade interior. Em vez de esperar pela morte para “completar” a vida, um estoico completa a vida *agora*. Se alguém vive de forma pacífica e tranquila no momento presente, não precisa se preocupar com o futuro. Nesse estado, teremos realmente nos encontrado. Vivendo plenamente “em casa”, um estoico pode, então, passar o resto de seus dias desfrutando de uma felicidade que ninguém pode tirar. Como Sêneca escreve a Lucílio: “Considere como é bom completar sua vida *agora*, antes de morrer, e depois disso viva seus dias restantes em paz, de forma autossuficiente, em plena posse de uma vida feliz."[10] Essa ideia de viver "uma vida que já está completa" está intimamente relacionada à ideia de Sêneca de viver cada dia como se fosse o último, ou de "tentar viver cada dia como se já fosse uma vida completa", discutida no Capítulo 11. O resultado de ambas as abordagens é uma sensação de liberdade, uma vivência plena no momento presente e a ausência de ansiedade.

Dito de outra forma, a vida feliz está totalmente presente, aqui e agora, basta escolhermos reivindicá-la. Mas, quando a buscam em outro lugar ou em outras coisas, as pessoas perdem a liberdade de uma confiança inabalável e a paz que, de outra maneira, possuiriam.[11]

ALEGRIA ESTOICA E FELICIDADE DURADOURA

> Acredite em mim, a verdadeira alegria é assunto sério!
>
> Sêneca, *Cartas* 23.4

> Alegria é seu objetivo, mas você está desviando do curso! Você acha que chegará lá entre riquezas e honras oficiais. Ou seja, você busca alegria rodeado de ansiedades! Você persegue essas coisas como se elas trouxessem felicidade e prazer quando, na verdade, são fontes de dor.
>
> Sêneca, *Cartas* 59.14

Para os estoicos e outros filósofos gregos, a verdadeira felicidade, ou *eudaimonia*, diferia significativamente de nossa ideia atual de felicidade. Hoje em dia, a felicidade é vista como um sentimento temporário, um estado de espírito ou um estado emocional passageiro. Para os gregos, porém, a *eudaimonia* era a excelência permanente do caráter – "um estado de espírito duradouro, contínuo e relativamente estável".[12] Essa grande diferença entre as visões contemporânea e antiga ajuda a explicar por que os filósofos do passado levavam a felicidade tão a sério.

Para Sêneca, "apenas uma mente virtuosa desenvolve a verdadeira tranquilidade."[13] A consequência de possuir um caráter excelente, que surge da virtude, é a "perseverança da alegria". Sêneca escreveu a Lucílio: "Se uma pessoa sábia nunca carece da verdadeira alegria, você tem um bom motivo para desejar sabedoria. Mas essa alegria só surge da consciência das virtudes. Para experimentar essa alegria, você precisa de coragem, justiça e moderação."[14]

Todos nós trazemos as sementes dessas virtudes (e de outras) dentro de nós, mas, para florescer totalmente, elas precisam ser cultivadas. Como um jardim, nosso caráter exige cuidado. Nesse processo, também precisamos exercitar nossa racionalidade. Precisamos eliminar nossos falsos juízos e opiniões, muitos dos quais temos sido encorajados a abraçar, inconscientemente, pelo condicionamento social. Isso inclui remover da mente coisas que não são verdadeiramente "nossas": coisas como medo, preocupação, as falsas promessas da sociedade, o desejo por prazeres vazios e a dor e o sofrimento emocional que surgem de falsas crenças. Como escreveu Sêneca: "Nossa mente nunca é mais poderosa do que quando deixa de lado as coisas que não são suas: ela faz as pazes consigo mesma por não temer nada; cria riqueza para si própria por não desejar nada."[15]

Quando removemos o que não é nosso e desenvolvemos um caráter estável com base em juízos verdadeiros, ocorre uma notável transformação em nossa personalidade, que resulta em alegria duradoura. Sêneca explica:

> Assim que afastamos todas as coisas que nos perturbam ou nos assustam, seguem-se uma tranquilidade ininterrupta e uma liberdade sem fim. Pois, quando os prazeres e as dores são banidos, uma alegria sem limites chega para substituir tudo o que é banal, frágil e prejudicial - uma alegria que não se abala nem hesita. Depois vêm a paz e a harmonia da mente, e a verdadeira grandeza associada à gentileza, já que a violência sempre nasce da fraqueza.[16]

Em minha opinião, essa passagem é a descrição mais detalhada e convincente que Sêneca faz do objetivo final do treinamento estoico. E ela nos leva de volta à imagem do sol e das nuvens, mencionada no fim do Capítulo 3.

Quando nos tornamos psicologicamente autossuficientes e experimentamos a alegria estoica, nossa personalidade se torna estável e luminosa.

Assim, ela se assemelha metaforicamente ao sol, sempre brilhando, mesmo quando as nuvens que passam abaixo dele bloqueiam sua luz por um instante.[17]

Sêneca diz que até o estoico mais avançado experimenta, às vezes, pequenas perturbações. Como qualquer outra pessoa, um sábio estoico totalmente desenvolvido compartilhará de sentimentos humanos normais, respostas instintivas e será surpreendido por acontecimentos inesperados. Mas essas perturbações serão temporárias, assim como as nuvens que encobrem o sol. Graças à firmeza de caráter do estoico, ele rapidamente "retorna para casa", para um estado de harmonia interior, alegria e tranquilidade.

AGRADECIMENTOS

OBRIGADO A GILES ANDERSON, QUYNH DO E ALANE MASON POR FAZEREM ESTE livro se tornar realidade, e a Nancy Green, por seu excelente trabalho de edição. Devo elogios especiais também à equipe da Norton por seu trabalho incrível: Drew Elizabeth Weitman, Rebecca Munro, Elisabeth Kerr, Nicola DeRobertis-Theye e Jason Heuer.

Sou grato a John Sellars, Donald Robertson e Massimo Pigliucci pelas conversas interessantes que tivemos enquanto eu escrevia esta obra. Naturalmente, eles não são responsáveis por minhas visões pessoais. Também sou grato a William O. Stephens pelo feedback dado sobre a Introdução e o Capítulo 1, e a Rob Colter por seus comentários sobre todo o manuscrito. Agradeço igualmente as opiniões recebidas de Kai Whiting, Judith Stove e Sandra Muratović.

As citações filosóficas do estoicismo neste livro foram traduzidas recentemente por mim, trabalhando em colaboração com Elizabeth Mercier, professora de latim e grego da Universidade de Purdue. Trabalhar com Liz para construir uma ponte entre o pensamento de Sêneca e o mundo contemporâneo foi uma atividade memorável. Nós dois esperamos que você aprecie essas novas traduções e, o que é mais importante, o acesso que elas oferecem às ideias e aos argumentos ainda vivos de Sêneca.

APÊNDICE: EXERCÍCIOS FILOSÓFICOS DO ESTOICISMO

OS ESTOICOS ERAM FILÓSOFOS QUE BASEAVAM SUAS IDEIAS E CONCLUSÕES NO pensamento racional. Dito isso, como em outras escolas filosóficas antigas, eles praticavam vários exercícios para reforçar suas ideias. E usavam as meditações com propósitos terapêuticos para reformular psicologicamente as situações e reduzir o sofrimento humano. Outras meditações se concentravam em relembrar os processos da natureza e nossa relação com o todo.

O que se segue é uma breve lista de alguns exercícios filosóficos que você pode encontrar nas obras dos estoicos romanos.

Vários deles foram inspirados em filósofos antigos. Muitos, mas não todos, foram discutidos anteriormente neste livro. Para ler mais sobre o assunto, veja *Stoic Spiritual Exercises* (Exercícios espirituais estoicos), de Elen Buzaré.

Lembre-se da dicotomia do controle. Algumas coisas dependem de nós, outras não. Dedique sua atenção ao que você pode controlar, como o desenvolvimento de um caráter bom, e não em elementos do acaso ou da Fortuna, que escapam ao seu controle.

Lembre-se do papel do juízo. As coisas em si não nos irritam. São os juízos ou opiniões sobre elas que causam sofrimento.

Contemplação do sábio. Imagine que uma pessoa sábia como Sócrates está observando suas ações. Ao enfrentar uma situação difícil, pergunte-se como essa pessoa sábia reagiria.

Diário filosófico. Crie seu próprio caderno de meditações e ensinamentos estoicos, como Marco Aurélio fez, com lembretes para si mesmo. Pegue as ideias filosóficas centrais e as reformule com suas próprias palavras, ou detalhe em seu diário como você pode fazer uso delas.

Reavaliação diária. Ao fim de cada dia, reflita sobre suas ações. Faça a si mesmo as seguintes perguntas: O que eu fiz bem? O que fiz mal? Como posso melhorar? O que deixei de fazer?

Transforme a adversidade em algo melhor. Quando você encontrar a adversidade, transforme-a em algo melhor. É possível criar o bem em qualquer situação, se reagirmos com virtude.

Premeditação da adversidade. Imagine brevemente quaisquer adversidades que você poderá enfrentar no futuro. Depois, deixe os pensamentos se dispersarem. Ao contemplar as adversidades antecipadamente, você tira o poder delas, caso venham mesmo a acontecer.

Cláusula de reserva estoica. Quando você iniciar um projeto, viajar, fizer um planejamento, diga a si mesmo: "Aceito o destino." Tenha em mente que, apesar de suas intenções serem as melhores, algo fora do seu controle pode interferir nos seus planos.

Contemplação do todo. Perceba que você é apenas uma parte minúscula de um universo inteiro, mas, ainda assim, parte do universo. Por um momento, abra sua mente para abarcar todo o cosmos e vivencie sua conexão com o todo.

Visão do alto. Imagine que você está muito acima da Terra, no espaço, olhando-a do alto. Então lembre-se de como seus problemas pessoais são pequenos no grande esquema das coisas.

Contemplação da mudança. Medite sobre como todas as coisas na natureza estão em constante mudança, e como tudo passa por uma transformação contínua por períodos curtos ou longos.

Contemplação da impermanência. Perceba que tudo que você possui lhe foi dado por empréstimo. Lembre-se de que é certo apreciar os dons da Fortuna enquanto eles estão conosco, emprestados, mas que um dia teremos de devolvê-los.

Memento mori. Reflita sobre sua própria condição mortal, a condição das pessoas que você ama como seres mortais, e sobre a morte como sendo apenas o estágio final e natural de estar vivo. Agradeça pelo tempo que você tem pela frente e se esforce para usá-lo com sabedoria.

Viva com gratidão. Perceba, a cada dia, que tudo que você tem é um presente do universo. No fim da vida, olhe para tudo que viveu como uma dádiva, com o sentimento de gratidão.

Viva no momento presente. Não permita que sua mente se antecipe ou se preocupe com o futuro, pois isso é fonte de ansiedade. Em vez disso, planeje o futuro de forma racional e lembre-se de que o momento presente é tudo que temos. Caso comece a sentir ansiedade, tenha consciência disso e volte sua atenção para o presente. Lembre-se de que, quando o futuro chegar, você enfrentará os acontecimentos com a mesma racionalidade que enfrenta hoje.

Aja pelo bem comum. Lembre-se de que você é parte da comunidade humana e de que nascemos para ajudar uns aos outros. Lembre-se de agir pelo bem das outras pessoas.

Analise suas impressões com cautela. Não aceite as coisas por seu valor aparente nem faça juízos precipitados. Recue um passo e tenha cautela ao analisar as evidências antes de formar uma opinião. Se as evidências não forem firmes o suficiente, interrompa totalmente qualquer juízo.

LEITURAS ADICIONAIS: OS ESCRITOS FILOSÓFICOS DE SÊNECA

SE VOCÊ QUER LER OS ESCRITOS FILOSÓFICOS DE SÊNECA, É IMPORTANTE SABER que existem muitas coletâneas, seleções e antologias, todas incompletas. Embora a maioria dessas antologias seja boa, há apenas duas edições completas de seus escritos. As edições publicadas pela Loeb Classical Library (Harvard University Press) contêm os textos de Sêneca em latim ao lado das traduções em inglês, mas datam de décadas atrás e falta a elas um tom contemporâneo. Uma alternativa é *The Complete Works of Lucius Annaeus Seneca* (As obras completas de Lúcio Aneu Sêneca), muito mais recente.

Muitas pessoas que começam a ler Sêneca partem da edição mais comercial da Penguin, *Letters from a Stoic* (Cartas de um estoico). Não há nada de errado com essa edição, caso você queira uma amostra das cartas de Sêneca. Mas você deve estar ciente de que *Letters from a Stoic* é uma seleção muito restrita e algumas das cartas presentes no livro estão incompletas. Por isso, se você decidir que levará a sério a leitura de Sêneca e quiser uma coletânea completa das cartas, a escolha é simples: as maravilhosas *Letters on Ethics to Lucilius* (Cartas a Lucílio sobre Ética).

Na bibliografia, incluí todas as traduções de Sêneca que possuo e li. Você também pode baixar uma cópia gratuita de *Seneca: A Readers's Guide* (Sêneca: um guia para o leitor) em meu site (stoicinsights.com), com alguns conteúdos úteis, incluindo sugestões sobre a ordem em que você pode querer ler os escritos de Sêneca. A seguir, estão listadas todas as principais obras de Sêneca, em ordem alfabética, e em quais volumes você pode encontrar essas obras nas traduções da University of Chicago Press. Boa leitura!

ESCRITOS FILOSÓFICOS DE SÊNECA

ESTA LISTA EM ORDEM ALFABÉTICA INDICA ONDE VOCÊ PODE ENCONTRAR todos os escritos filosóficos de Sêneca em *The Complete Works of Lucius Annaeus Seneca*, coletânea publicada pela University of Chicago Press. Quando houver tradução no Brasil, a referência seguirá logo abaixo do título em inglês. Para os dados de publicação de cada volume, veja a bibliografia das obras citadas na próxima seção.

Consolation to Helvia (Consolação à minha mãe Hélvia)
Em *Hardship and Happiness.*
E também em: *Consolações de um estoico.* Porto Alegre: Montecristo, 2020.

Consolation to Marcia (*Consolação a Márcia*)
Em *Hardship and Happiness.*
E também em: *Consolações de um estoico.* Porto Alegre: Montecristo, 2020.

Consolation to Polybius (*Consolação a Políbio*)
Em *Hardship and Happiness.*
E também em: *Consolações de um estoico.* Porto Alegre: Montecristo, 2020.

Letters (*Cartas*)
Em *Letters on Ethics to Lucilius.*
E também em: *Cartas selecionadas.* São Paulo: Auster, 2020.

Natural Questions (Questões naturais)
Em *Natural Questions.*

On Anger (*Sobre a ira*)
Em *Anger, Mercy, Revenge.*
E também em: *Sobre a ira; Sobre a tranquilidade da alma: diálogos.* Tradução, introdução e notas de José Eduardo S. Lohner. São Paulo: Companhia das Letras, 2014.

On Benefits (Dos benefícios)
Em *On Benefits.*

On Clemency (*Tratado sobre a clemência*)
Em *Anger, Mercy, Revenge.*
E também em: *Tratado sobre a clemência.* Introdução, tradução e notas de Ingeborg Braren. Petrópolis: Vozes, 2013.

On the Constancy of the Wise Person (*Sobre a firmeza do homem sábio*)
Em *Hardship and Happiness.*
E também em: *Sobre a Providência Divina; Sobre a firmeza do homem sábio.* Tradução, introdução e notas de Ricardo da Cunha Lima São Paulo: Nova Alexandria, 2000.

On the Happy Life (*A vida feliz*)
Em *Hardship and Happiness.*
E também em: *A vida feliz.* Tradução de João Carlos Cabral Mendonça. São Paulo: WMF Martins Fontes, 2009.

On Leisure (*Sobre o ócio*)
Em *Hardship and Happiness.*
E também em: *Sobre a tranquilidade da alma; Sobre o ócio.* Tradução, notas e apresentação de Jose Rodrigues Seabra Filho. São Paulo: Nova Alexandria, 1994.

On the Shortness of Life (*Sobre a brevidade da vida*)
Em *Hardship and Happiness*.
E também em: *Sobre a brevidade da vida; Sobre a firmeza do sábio*. Tradução e notas de José Eduardo S. Lohner. São Paulo: Penguin-Companhia das Letras, 2017.
Sobre a brevidade da vida. Trad. Aldo Dinucci. São Paulo: Auster, 2022.

On Providence (*Sobre a providência divina*)
Em *Hardship and Happiness*.
E também em: *Sobre a Providência Divina; Sobre a firmeza do homem sábio*. Tradução, introdução e notas de Ricardo da Cunha Lima São Paulo: Nova Alexandria, 2000.

On Tranquility of Mind (*Sobre a tranquilidade da alma*)
Em *Hardship and Happiness*.
E também em: *Sobre a ira; Sobre a tranquilidade da alma: diálogos*. Tradução, introdução e notas de José Eduardo S. Lohner. São Paulo: Companhia das Letras, 2014.

NOTAS

PREFÁCIO

1. Sêneca, *Cartas* 104.26.
2. Sêneca, *Cartas* 5.4.
3. PIGLIUCCI, Massimo. *How to Be a Stoic: Using Ancient Philosophy to Live a Modern Life*. Nova York: Basic Books, 2017, p. 230.

INTRODUÇÃO *Uma vida que verdadeiramente vale a pena ser vivida*

1. Veja o Capítulo 2, "The Socratic Origins of the Art of Living", do livro *The Art of Living: The Stoics on the Nature and Function of Philosophy*, de John Sellars (2009).
2. Para ter uma noção de como era o Stoa, que abrigava pinturas, dê uma olhada nas ilustrações em https://www.stoicinsights.com/about-stoicism/.
3. Epicuro, citado e traduzido por Martha Nussbaum em *The Therapy of Desire: Theory and Practice in Hellenistic Ethics*. Princeton: Princeton University Press, 1994, p. 13.
4. Sêneca, *Cartas* 8.2. Sobre comparar a filosofia antiga com a arte médica e a "arte de viver", consulte os Capítulos 2 e 3 de *The Art of Living*, de John Sellars (2009).
5. Sêneca, *Cartas* 76.16.
6. Agradeço a Massimo Pigliucci por apontar esse sentido mais sutil do termo *eudaimonia*, que se aplica especificamente aos estoicos.
7. Embora Platão e Aristóteles tenham preparado o terreno ao analisar as responsabilidades cívicas e o modo de aprimorar a vida da cidade-Estado,

os estoicos foram além ao enfatizar a fraternidade de toda a humanidade em uma escala global. Sêneca escreveu que, entre todas as escolas filosóficas, eram os adeptos do estoicismo que tinham mais amor pela humanidade como um todo. Em suas *Meditações*, Marco Aurélio também lembrava a si mesmo, constantemente, que cada uma de suas ações deveria tentar fomentar o bem comum à sociedade.

8. *The Greatest Empire: A Life of Seneca*, de Emily Wilson (2014). Outra boa biografia de Sêneca é o livro *Dying Every Day: Seneca at the Court of Nero*, de James Romm (2014). A missão quase impossível de escrever uma biografia precisa de Sêneca se deve ao fato de que os historiadores romanos, de acordo com os padrões atuais, são muito pouco confiáveis. Infelizmente, não existem relatos em primeira mão de pessoas que o conheceram. O depoimento sobre Sêneca escrito por Dião Cássio (*c.* 155-*c.* 235) em seu livro *Histórias romanas*, que não parece confiável, foi redigido mais de um século depois da morte do filósofo. O relato de Tácito (*c.* 56-*c.* 120) nos *Anais* parece mais verdadeiro.
9. Tácito, *Anais* 15.62.
10. Essa frase de Sócrates era uma das favoritas dos estoicos romanos. Epicteto cita-a no fim de seu "manual"; ver Epicteto, *Manual* 53.4. Relata-se que outro senador romano, Trásea Peto, que também era estoico e foi assassinado por ordem de Nero, disse: "Nero pode me matar, mas não pode me prejudicar". Ver WILSON, Emily. *The Greatest Empire*, p. 154.
11. Sêneca, *Cartas* 123.6.
12. Sêneca, *Cartas* 122.14.
13. Sêneca, *Cartas* 115.9.
14. Como Brad Inwood observou, Sêneca era "um expoente original e inovador" da filosofia estoica, "alguém cuja contribuição inconfundível parece ser uma sensibilidade para o valor da experiência direta para a ética e a psicologia moral". INWOOD, Brad. *Reading Seneca: Stoic Philosophy at Rome*. Oxford: Clarendon Press, 2005, p. 3.

CAPÍTULO 1 *A arte perdida da amizade*

1. Sêneca, *Cartas* 48.2-3. Sêneca também escreveu a obra *Sobre a amizade*, da qual apenas fragmentos sobreviveram. Sobre o tópico da amizade em

Sêneca, veja o texto "Seneca on Friendship", de Anna Lydia Motto e John R. Clark (1993), que traz várias citações.

2. Sêneca, *Cartas* 106.12.
3. Segundo o estoico Aristo, citado por Sêneca em *Cartas* 94.16, a menos que alguém tenha uma doença, toda "loucura" e todo sofrimento mental se originam no apego a opiniões falsas. Sêneca concordava com essa visão. Em sua obra *Sobre a tranquilidade da alma*, Sêneca é procurado por seu amigo Sereno como se fosse um médico. Sereno, o paciente, explica seu sofrimento mental, e Sêneca responde como um filósofo clínico para curar o mal. A carta 24 é uma das que se assemelham muito a uma sessão de terapia entre Lucílio e Sêneca. Lucílio está ansioso, pois foi acusado em um processo judicial, e Sêneca quer ajudá-lo a superar a ansiedade usando uma abordagem terapêutica passo a passo.
4. Sêneca, *Cartas* 40.1.
5. Sêneca, *Cartas* 9.12. De acordo com Cícero (1914), os estoicos acreditavam que se deve buscar a amizade por seu valor intrínseco, não pelo que se pode obter dela de forma utilitária.
6. Confira o texto "Aristotle on the Forms of Friendship", de John M. Cooper (1977).
7. Veja o artigo "Aristotle on Friendship and the Shared Life", de Nancy Sherman (1987).
8. Sêneca, *Cartas* 6.1.
9. Sêneca, *Cartas* 6.1.
10. Introdução de *O banquete*, de Platão.
11. Diógenes Laércio. *Vidas e doutrinas dos filósofos ilustres* 6.54.
12. Para mais detalhes, leia *The Art of Living: The Stoics on the Nature and Function of Philosophy*, de John Sellars (2009, p. 59-64).
13. Para mais informações sobre a separação radical entre os sábios e os não sábios, veja *The Art of Living* (2009, p. 59-64) e *Stoicism* (2014, p. 36-41), ambos de John Sellars, assim como o Capítulo 4 de *The Stoic Life: Emotion, Duties, and Fate*, de Tad Brennan (2005). O filósofo contemporâneo Lawrence C. Becker (2017, p. 132-33) também considerou "insustentável" a ideia de virtude dos primeiros estoicos como uma questão de tudo ou nada, bem como a linha divisória estrita entre sábios e não sábios.
14. Sêneca. "Introduction to Seneca", *Letters on Ethics to Lucilius*. Tradução

de Margaret Graver e A. A. Long. Chicago: University of Chicago Press, 2015, p. xx.

15. As evidências apontam que Zenão, fundador do estoicismo, também identificava Sócrates como um sábio (BROWER, 2014, p. 109; 164).
16. Wilson (2014, p. 146).
17. Sêneca, *Cartas* 57.3.
18. Sêneca, *Cartas* 71.36.
19. Sobre o que Marco Aurélio estava tentando realizar nas *Meditações*, leia *Marcus Aurelius*, de John Sellars (2021, p. 20-36). Como William O. Stephens e outros afirmaram (2012, p. 2), o título mais adequado às *Meditações* de Marco Aurélio seria "Memorandos", já que se trata de anotações para si mesmo sobre os princípios estoicos a serem relembrados diariamente.
20. Sêneca, *Sobre a ira* 3.36.3-4.

CAPÍTULO 2 *Valorize seu tempo: não adie a vida*

1. Sêneca, *Cartas* 1.1.
2. Sêneca, *Cartas* 1.2.
3. Sêneca, *Questões naturais*, prefácio 1.2.
4. Sêneca, *Sobre a brevidade da vida* 2.1 e 1.3.
5. Sêneca, *Sobre a brevidade da vida* 2.1-2.2.
6. Sêneca, *Cartas* 3.5.
7. Sêneca, *Cartas* 106.1 e 22.8.
8. Sêneca, *Sobre a tranquilidade da alma* 12.2-3.
9. Sêneca, *Sobre a brevidade da vida* 3.5.
10. Zenão, citado por Diógenes Laércio, em *Vidas e doutrinas dos filósofos ilustres* 7.121-22.
11. Sobre as metáforas estoicas de servidão e liberdade, veja a introdução de A. A. Long a Epicteto em *How to Be Free: An Ancient Guide to the Stoic Life* (2018). Quanto ao uso dessas metáforas por Sêneca, veja o texto de Catherine Edwards "Free Yourself! Slavery, Freedom, and the Self in Seneca's Letters", em *Seneca and the Self* (2009, p. 139-159).

12. Sêneca, *Cartas* 22.11.
13. Epicteto, *Diatribes* 2.1.22.
14. Epicteto, *Diatribes* 4.1.113.
15. Sêneca, *Sobre a brevidade da vida* 9.1.
16. Sêneca, *Sobre a brevidade da vida* 14.1.
17. Sêneca, *Sobre a brevidade da vida* 14.1-2. Para mais detalhes sobre a ideia de Sêneca de uma comunidade atemporal de pessoas sábias, veja a conclusão de Catherine Edwards em "Absent Presence in Seneca's Epistles: Philosophy and Friendship" (BARTSH; SCHIESSARO. *The Cambridge Companion to Seneca*. Nova York: Cambridge University Press, 2015, p. 41-53).
18. Sêneca, *Sobre a brevidade da vida* 15.2.
19. Sêneca, *Cartas* 62.2. Em um texto perdido, "Sobre o casamento", do qual sobreviveram apenas fragmentos, Sêneca diz que uma pessoa sábia nunca se sentirá sozinha porque terá muitos amigos do passado (GLOYN. *The Ethics of the Family in Seneca*. Cambridge: Cambridge University Press, 2017, p. 222).
20. Sêneca, *Sobre a brevidade da vida* 15.5-16.1.

CAPÍTULO 3 *Como superar a preocupação e a ansiedade*

1. Sêneca, *Cartas* 5.8.
2. Marco Aurélio, *Meditações* 4.7.
3. Sêneca, *Cartas* 101.8.
4. Marco Aurélio, *Meditações* 12.26. Sobre Marco Aurélio ler Sêneca, veja *Marcus Aurelius*, de John Sellars (2021, p. 12).
5. Paráfrase de Sêneca, *Cartas* 89.1
6. Sêneca, *Cartas* 13.13.
7. Sêneca, *Cartas* 78.13.
8. Sêneca, *Cartas* 44.7.
9. Sêneca, *Cartas* 13.4.
10. Marco Aurélio, *Meditações* 7.8.
11. Sêneca, *Cartas* 13.8-10.

12. Epicteto, *Manual* 5.
13. Citado em "The Stoic Influence on Modern Psychotherapy", de David Robertson (2017, p. 375). Robertson é um terapeuta cognitivo-comportamental que estudou o estoicismo a fundo. Sua primeira obra (2010) sobre a relação entre estoicismo e TCC é intitulada *The Philosophy of Cognitive-Behavioural Therapy (CBT): Stoic Philosophy as Rational and Cognitive Psychotherapy* (2020). Seu mais recente livro, *How to Think Like a Roman Emperor: The Stoic Philosophy of Marcus Aurelius* (2019), explora os paralelos entre o pensamento de Marco Aurélio e a terapia cognitivo-comportamental, além de outros temas.
14. Sêneca, *Cartas* 5.7.
15. Sêneca, *Cartas* 5.8.
16. Epicteto, *Manual* 5 (grifo nosso).
17. Sêneca, *Cartas* 92.18.
18. Sêneca, *Cartas* 27.3.

CAPÍTULO 4 *O problema da raiva*

1. Sêneca, *Sobre a ira* 1.1.2.
2. As recomendações da Associação Americana de Psicologia (APA) sobre o controle da raiva coincidem em cerca de 95% com os conselhos de Sêneca em *Sobre a ira*. Confira os artigos "Controlling Anger Before it Controls You" (www.apa.org/topics/anger/control) e "Strategies for Controlling Your Anger: Keeping Anger in Check" (www.apa.org/topics/strategies-controlling-anger).
3. Sêneca, *Sobre a ira* 1.1.3-4.
4. Sêneca, *Sobre a ira* 2.36.6.
5. Sêneca, *Sobre a ira* 3.1.4.
6. Sêneca, *Sobre a ira* 3.1.5.
7. Sêneca, *Sobre a ira* 1.2.1.
8. Sêneca, *Sobre a ira* 2.36.5-6.
9. Sêneca, *Sobre a ira* 1.5.3.
10. Sêneca, *Sobre a ira* 1.19.1.

11. Sêneca, *Cartas* 71.27.
12. Epicteto, *Diatribes* 3.2.4.
13. Sêneca, *Tratado sobre a clemência* 2.5.3.
14. Sêneca, *Sobre a ira* 1.10.2. Minha interpretação sobre os quatro tipos primordiais de emoção reconhecidos pelos estoicos segue a de John Sellars no texto "Stoicism and Emotions", em *Stoicism Today: Selected Writings* (2016, p. 43-48).
15. Crisipo, um dos mais importantes e influentes entre os primeiros estoicos gregos, em sua obra *On Passions* (Sobre as paixões) ou *On Affections* (Sobre os afetos), definira as paixões como originadas de juízos incorretos e semelhantes a formas de transtorno mental. Ele também descreveu uma terapia das paixões (TIELEMAN, 2003, p. 132 e Capítulo 4).
16. Graver (2014, p. 272).
17. Para conferir o estudo mais importante sobre psicologia estoica ao longo de toda essa tradição, veja o livro *Stoicism and Emotion*, de Margaret R. Graver (2014).
18. Sêneca destaca a teoria cognitiva das emoções em três passos em *Sobre a ira* 2.4.-2. Em relação aos "três movimentos", sigo a interpretação de Robert A. Kaster na introdução de *Anger, Mercy, and Revenge* (2010, p. 6-8) e de Brad Inwood em *Reading Seneca: Stoic Philosophy at Rome* (2005, p. 61-63).
19. Sêneca, *Sobre a ira* 2.4.2.
20. Sêneca, *Sobre a ira* 2.29.1.
21. Sêneca, *Sobre a ira* 2.22.2.
22. Epicteto, *Diatribes* 1.20.7.
23. MAY, Rollo. *The Courage to Create*. Nova York: W. W. Norton, 1975, p. 100. (*A coragem de criar*. Rio de Janeiro: Nova Fronteira, 1989.)
24. Sêneca, *Sobre a ira* 2.1.4.
25. Sêneca, *Sobre a ira* 1.8.1-2.
26. Sêneca, *Cartas* 116.3.
27. American Psychological Association, "Controlling Anger Before It Controls You", seção de "Strategies to Keep Anger at Bay". Disponível em: www.apa.org/topics/anger/control. Acesso em: 18 fev. 2022.

28. Epicteto, *Manual* 30.
29. Marco Aurélio, *Meditações* 12.25.
30. Sêneca, *Sobre a ira* 2.10.7.

CAPÍTULO 5 *Você sempre presente: é impossível fugir de si mesmo*

1. Sêneca, *Cartas* 28.1.
2. No início da Carta 104, Sêneca conta sobre quando ele viajou para a *villa* que possuía em Nomentum, a 30 quilômetros de Roma, porque estava com febre. Assim que saiu do ar carregado de Roma e chegou à *villa*, já estava bem melhor.
3. Sêneca, *Cartas* 17.12.
4. Sêneca, *Cartas* 104.8.
5. Sêneca, *Cartas* 104.7.
6. Sêneca, *Cartas* 2.1.
7. Sêneca, *Cartas* 2.2.
8. Sêneca, *Cartas* 89.23.
9. Sêneca, *Cartas* 16.9.
10. Sêneca, *Cartas* 69.1.
11. Sêneca, *Cartas* 35.4.
12. Há uma tradução de *Sobre o ócio* para o inglês em *Hardship and Happiness* (2014, p. 219-232).
13. Sêneca, *Sobre a tranquilidade da alma* 2.14.
14. Holowchak (2008, p. 185).
15. Sêneca, *Cartas* 28.4.
16. Sêneca, *Cartas* 55.8.
17. Sêneca, *Cartas* 23.7-8.
18. Sêneca, *Cartas* 71.2-4.
19. Sêneca, *Cartas* 71.2.

CAPÍTULO 6 *Como domar a adversidade*

1. Sêneca, *Cartas* 91.1.
2. Sêneca, *Cartas* 91.6.
3. MALVERN, Jack. "Stuck at Home, Stoic Britons Get Philosophical". *The Times*, 23 abr. 2020. Disponível em: www.thetimes.co.uk/article/stuck-at--home-stoic-britons-get-philosophical-b0h7jdnrb.
4. A expressão *dicotomia do controle* foi cunhada pelo filósofo estoico moderno William B. Irvine em seu livro *A Guide to the Good Life: The Ancient Art of Stoic Joy* (2009, p. 86-89). O eminente estudioso da filosofia antiga A. A. Long acredita que essa ideia, como premissa ética, em última análise, "remonta a Sócrates, na Apologia de Platão, em que ele diz que nenhum dano pode suceder ao homem bom na vida ou na morte, o que implica que a virtude 'depende de nós' e a felicidade é imune à fortuna" (comunicação pessoal).
5 Para Sêneca, a Fortuna era semelhante a uma força cósmica, por isso uso a inicial maiúscula neste livro, como faço com outros termos estoicos que se referem a forças cósmicas: Natureza, Destino e Logos (razão ou racionalidade).
6. Sêneca, *Cartas* 76.16.
7. Sêneca, *Cartas* 66.23.
8. Sêneca, *Cartas* 74.1. Veja também *Cartas* 74.5-6.
9. Sêneca, *Cartas* 98.2.
10. Epicteto, *Diatribes* 3.24.112.
11. Sêneca, *Cartas* 44.2.
12. Sêneca, *Cartas* 91.3-4.
13. Sêneca, *Cartas* 24.15.
14. Sêneca, *Cartas* 78.28.
15. Sêneca, *A vida feliz* 15.5.
16. Crisipo, um dos primeiros gregos estoicos, escreveu: "Um golpe que não tenha sido previsto nos atinge com mais força" (citado em Cícero, *Discussões tusculanas* 3.52). Para um estudo da premeditação da adversidade no estoicismo e em Sêneca, consulte o texto de Mireille Armisen-Marchetti, "Imagination and Meditation in Seneca: The Example of the Praemeditatio" (2008, p. 102-113).
17. Marco Aurélio, *Meditações* 2.1.

18. Sêneca, *Cartas* 76.35.
19. Sêneca, *Questões naturais* 4B.13.11.
20. Sêneca, *Sobre a providência divina* 5.9.
21. Sêneca, *Sobre a providência divina* 3.3.
22. Sêneca, *Cartas* 67.14.
23. Sêneca, *Sobre a providência divina* 2.6.
24. Epicteto, *Diatribes* 1.24.1-2.
25. Sêneca, *Sobre a providência divina* 4.6.
26. Sêneca, *Sobre a providência divina* 2.4.
27. Sêneca, *Cartas* 85.41.
28. Epicteto, *Manual* 18.
29. Marco Aurélio, *Meditações* 6.50.
30. Sêneca, *Cartas* 45.9.
31. Marco Aurélio, *Meditações* 5.20.

CAPÍTULO 7 *Por que você não deve reclamar*

1. Sêneca, *Sobre a ira* 3.6.3.
2. Citado por BREGMAN, Peter. "The Next Time You Want to Complain at Work, Do This Instead", *Harvard Business Review*, 17 mai. 2018. Disponível em: https://hbr.org/2018/05/the-next-time-you-want-to-complain-at-work-do-this-instead.
3. Bregman (2018).
4. BOWEN, Will. "A Complaint Free World". Disponível em: www.willbowen.com/complaintfree.
5. Epicteto, *Diatribes* 2.18.13.
6. WINCH, Guy. "How to Deal with Chronic Complainers: What They Want and What They Need Are Very Different Things", *Psychology Today*, 15 jul. 2011. Disponível em: www.psychologytoday.com/intl/blog/the-squeaky-wheel/201107/how-deal-chronic-complainers.
7. Veja Ário Dídimo, *Epitome of Stoic Ethics*: "viver de acordo com a natureza" (6b) e "a felicidade é um fluxo suave de vida" (6e). Compare também com Diógenes Laércio, *Vidas e doutrinas dos filósofos ilustres* 7.87-89.

8. Susanne Bobzien reúne evidências e fontes antigas que confirmam isso em seu livro *Determinism and Freedom in Stoic Philosophy* (2001). Veja também o artigo de Mikolaj Domaradzki, "Theological Etymologizing in the Early Stoa" (2012, p. 125-148). Disponível em: https://journals.openedition.org/kernos/2109.
9. EINSTEIN, Albert. "Religion and Science". *New York Times Magazine*, 9 nov. 1930. Republicado em EINSTEIN, Albert. *Ideas and Opinions*. Nova York: Modern Library, 1994, p. 42.
10. EINSTEIN, Albert. "Science and Religion". Discurso no Seminário Teológico de Princeton, 19 mai. 1939. *In* EINSTEIN, Albert. *Ideas and Opinions*. Nova York: Modern Library, 1994, p. 52-53.
11. Epicteto, *Manual* 8.
12. LONG, A. A.; SEDLEY, D. N. *The Hellenistic Philosophers*, v. 1, 62A. Cambridge: Cambridge University Press, 1987, p. 386. Conta-se que a história do cão e da carroça foi usada por Zenão e Crisipo.
13. Cleantes, citado em Sêneca, *Cartas* 107.11.
14. Sêneca, *Cartas* 96.1.
15. Sêneca, *Cartas* 96.2-3.
16. Sêneca, *Cartas* 107.2
17. Sêneca, *Cartas* 107.6.
18. Sêneca, *Questões naturais* 3, prefácio 12.
19. Marco Aurélio, *Meditações* 4.23.

CAPÍTULO 8 *A batalha contra a Fortuna: como sobreviver à riqueza extrema e à pobreza*

1. Sêneca, *Cartas* 19.9.
2. Sêneca, *Cartas* 98.8.
3. www.newsweek.com/was-michael-jackson-debt-he-died-look-king-pops-finances-1349255.
4. Sêneca, *Da tranquilidade da alma* 11.10.
5. Sêneca, *Questões naturais* livro 3, prefácio 1.7.
6. Sêneca, *Consolação à minha mãe Hélvia* 5.4.

7. Sêneca, *Cartas* 90.18.
8. Sêneca, *Cartas* 90.19.
9. Sêneca, *Cartas* 90.40.
10. Sêneca, *Cartas* 119.11.
11. Sêneca, *Cartas* 119.12-13.
12. Epicuro, citado em Sêneca, *Cartas* 17.11.
13. Sêneca, *Cartas* 36.1.
14. Sêneca, *Cartas* 87.31.
15. Sêneca conta essa história em *Consolação à minha mãe Hélvia* 10.8-11.
16. Sêneca, *Consolação a Políbio* 9.5 e 6.4.
17. IRVINE, William B. *On Desire: Why We Want What We Want*. Nova York: Oxford University Press, 2006, p. 31.
18. Sêneca, *Cartas* 104.9.
19. Sêneca, *Da tranquilidade da alma* 8.2.
20. A pesquisa foi realizada em fevereiro de 2019. Disponível em: www.hrblock.com/tax-center/wp-content/uploads/2019/07/Lifestages-survey-results.pdf.
21. KISNER, Jeremy. *Why Rich People Worry about Money*. Disponível em: www.jeremykisner.com/rich-people-worry-money.
22. Sêneca, *Cartas* 19.6-7.
23. Sêneca, *Cartas* 18.5.
24. Sêneca, *Cartas* 18.7.
25. Para uma visão geral da simplicidade voluntária e uma lista de leituras, veja http://simplicitycollective.com/start-here/what-is-voluntary-simplicity-2.
26. Sêneca, *Cartas* 60.3.
27. Sêneca, *Consolação à minha mãe Hélvia* 11.4.
28. Sêneca, *Cartas* 74.4.
29. Anna Lydia Motto, uma das principais estudiosas de Sêneca de todos os tempos, analisou as evidências para julgar se Sêneca era culpado de hipocrisia. O veredicto: "Não." Veja MOTTO, Anna Lydia. "Seneca on Trial: The Case of the Opulent Stoic". *The Classical Journal* 61, n. 6, 1966, p. 254-258. Veja também a argumentação de Ward Farnsworth em seu livro *The*

Practicing Stoic: A Philosophical User's Manual. Boston: David R. Godine, 2018, Capítulo 13, "Stoicism and its Critics".

30. Sêneca, *Cartas* 18.13.
31. Sêneca, *A vida feliz* 22.5.

CAPÍTULO 9 *Multidões cruéis e laços que unem*

1. Sêneca, *Cartas* 7.2-3.
2. Sêneca, *Cartas* 7.3-4.
3. Sêneca, *Cartas* 7.5.
4. Sêneca, *Cartas* 7.7.
5. Sêneca, *Sobre a tranquilidade da alma* 7.4.
6. Sêneca, *Sobre a ira* 3.8.1-2.
7. Para um breve resumo de vários estudos, veja: https://en.wikipedia.org/wiki/Herd_mentality.
8. LE BON, Gustave. *Psicologia das multidões.* São Paulo: WMF Martins Fontes, 2016.
9. LE BON, *The Crowd*, Livro 1, Capítulo 1.
10. Veja SAMPSON, Tony D. *Virality: Contagion Theory in the Age of Networks.* Minneapolis: University of Minnesota Press, 2012.
11. Veja JOLY-MASCHERONI, R. M.; SENJU, A.; SHEPHERD, A. J. "Dogs Catch Human Yawns". *Biology Letters* 4.5, 2008, p. 446-448. Disponível em: www.ncbi.nlm.nih.gov/pmc/articles/PMC2610100. Veja também MADSEN, E. A.; PERSSON, T.; SAYEHLI, S.; LENNINGER, S.; SONESSON, G. "Chimpanzees Show a Developmental Increase in Susceptibility to Contagious Yawning: A Test of the Effect of Ontogeny and Emotional Closeness on Yawn Contagion". *PloS One* 8.10, 2003. Disponível em: www.ncbi.nlm.nih.gov/pmc/articles/PMC3797813.
12. A ideia de que aprendemos crenças falsas pela socialização remonta, no mínimo, ao estoico Crisipo. No entanto, aparentemente Crisipo só considerou a socialização deliberada, não o tipo de transmissão inconsciente que Sêneca claramente descreve. Veja TIELEMAN, Teun. *Chrysippus' on Affections: Reconstruction and Interpretations.* Leiden: E. J. Brill, 2003, p. 132ss; e RANOCCHIA, Graziano. "The Stoic Concept of

Proneness to Emotion and Vice". *Archiv für Geschichte der Philosophie* 94, n. 1, 2012, p. 74-92.

13. No início da Carta 60, Sêneca apresenta uma explicação empática de como Lucílio adquiriu na infância, por meio dos pais e de outros responsáveis por sua criação, crenças sobre o valor da riqueza.
14. Veja, por exemplo, BRIDGES, J. W. "Imitation, Suggestion, and Hypnosis", Capítulo 18, em BRIDGES, J. W. *Psychology: Normal and Abnormal, with Special Reference to the Needs of Medical Students and Practitioners*. Nova York: Appleton, 1930, pp. 311-324. Disponível, por meio da Associação Americana de Psicologia, em: https://psycnet.apa.org/record/2008-08475-018.
15. Sêneca, *Cartas* 7.8.
16. Sêneca, *Cartas* 94.69.
17. Sêneca, *Sobre a ira* 3.8.2.
18. Sêneca, *Cartas* 109.1-2.
19. Para Aristóteles, nem as mulheres nem os servos possuíam a capacidade mental de se beneficiarem do estudo da política. Além disso, como ele escreveu em *Política*, falta inteiramente aos "servos naturais" o poder de deliberação. As mulheres possuem o poder de deliberação, "mas de uma forma que lhes falta autoridade", o que as exclui da participação política. Platão, ao contrário, que foi professor de Aristóteles, acreditava que as mulheres poderiam ser guardiãs do Estado.
20. RICHTER, Daniel S. *Cosmopolis: Imagining Community in Late Classical Athens and the Early Roman Empire*. Nova York: Oxford University Press, 2011, p. 68. No Capítulo 4, Richter destaca as imensas diferenças entre as visões de Aristóteles e as dos estoicos sobre a igualdade humana.
21. Lactâncio, *Instituições divinas* 3.25, citado e traduzido em Richter (2011, p. 67, grifo nosso). Para informações adicionais sobre igualdade humana e servidão nos estoicos antigos, veja HILL, Lisa; NIDUMOLU, Prasanna. "The Influence of Classical Stoicism on John Locke's Theory of Self-Ownership". *History of the Human Sciences*, mai. 2020, p. 6-7.
22. Sobre a lei natural no estoicismo e em Cícero, veja HOROWITZ, Maryanne Cline. "The Stoic Synthesis of Natural Law in Man: Four Themes". *Journal of the History of Ideas* 35, n. 1, 1974, p. 3-16; ASMIS, Elizabeth. "Cicero on Natural Law and the Laws of State". *Classical Antiquity* 27, n. 1, p. 1-33; e LLANO ALONSO, Fernando H. "Cicero and Natural

Law". *ARSP: Archiv für Rechtsund Socialphilosophie / Archives for Philosophy of Law and Social Philosophy* 98, n. 2, 2012, p. 157-168.

23. Cícero, *Da República* 3.33.
24. O pesquisador e professor de filosofia Phillip Mitsis concluiu que os estoicos deram "expressão à noção de direitos humanos naturais". Os estoicos, com a ideia de cosmópolis, viviam "em um ambiente moral propício ao reconhecimento das necessidades e direitos de seus concidadãos – direitos que os estoicos consideravam que todos compartilhamos em virtude de sermos humanos". MITSIS, P. "The Stoic Origin of Natural Rights". *In* IERODIAKONOU, Katerina (Ed.). *Topics in Stoic Philosophy.* Oxford: Oxford University Press, 1999, p. 176-77.
25. Nossa ideia contemporânea de direitos humanos – por exemplo, a Declaração Universal dos Direitos Humanos, criada pela Organização das Nações Unidas em 1948 – combina aspectos da lei natural, universal, com os direitos internacionais. É interessante destacar que essa foi uma questão importante para Cícero: como o direito civil pode ser aproximado harmoniosamente da lei natural?
26. MEANY, Paul. "Why the Founders' Favorite Philosopher Was Cicero". *FEE*, 31 mai. 2018. Disponível em: https://fee.org/articles/why-the-founders-favorite-philosopher-was-cicero. Agradeço a Meany por seus artigos sobre estoicismo, Cícero, lei natural e direitos naturais, que me incentivaram a pesquisar a contribuição estoica ao desenvolvimento dos direitos naturais e humanos.
27. De fato, quando Thomas Jefferson morreu, ele tinha um volume com os escritos de Sêneca aberto em sua mesa de cabeceira, e Jefferson citou Cícero como grande influência em seu rascunho da Declaração de Independência. John Locke, que influenciou o pensamento de Jefferson sobre os direitos naturais, também leu os filósofos estoicos e o recomendou a seus alunos.
28. HOLOWCHAK, M. Andrew. "Thomas Jefferson", seção 2.2, "Nature and Society". *Stanford Encyclopedia of Philosophy*. Disponível em: plato.stanford.edu/entries/jefferson.
29. Como o historiador político Charles McIlwan observou: "A ideia de igualdade dos homens é a mais profunda contribuição dos estoicos ao pensamento político e, da época deles à nossa, afetou todo o desenvolvimento desse pensamento, sendo que sua maior influência é na concepção alterada

de lei que, em parte, vem dela." MCILWAN, C. *The Growth of Political Thought in the West: From the Greeks to the Middle Ages.* Nova York: Macmillan, 1932, p. 8.

Veja também o Capítulo 3, "The Cosmopolis in Human Rights", em Honoré (2002), que documenta como o estoicismo levou a ideias de igualdade entre os homens, liberdade e a dignidade de todos na tradição do direito romano, especialmente no trabalho do jurista Eneu Domício Ulpiano (*c.* 170-*c.* 228).

30. ELLIS, Joseph J. *American Sphinx: The Character of Thomas Jefferson.* Nova York: Alfred A. Knopf, 1997, p. 53.
31. GLEISER, Marcelo. "The Trouble with Tribalism", *Orbiter*, 18 jul. 2019. Disponível em: orbitermag.com/the-trouble-with-tribalism.
32. Sêneca, *Cartas* 95.52-53.
33. Sêneca, *Cartas* 48.2.
34. Sêneca, *Dos benefícios* 4.18.4.
35. RAMELLI, Ilaria. *Hierocles the Stoic: Elements of Ethics, Fragments, and Excerpts.* Atlanta: Society for Biblical Literature, 2009, p. xxxv.
36. Marco Aurélio, *Meditações* 4.3. Ele repete essa "doutrina" e a desenvolve ao longo de suas meditações, explorando o modo como "nascemos para ajudar uns aos outros" (11.18).
37. Cícero, *On ends* 3.62.
38. Cícero, *On ends* 3.62-63.
39. Cícero, *On ends* 3.63.
40. Ramelli. *Hierocles the Stoic*, p. 89-91.
41. SELLARS, John. *Stoicism.* Londres: Routledge, 2014, p. 131.

CAPÍTULO 10 *Como ser autêntico e contribuir para a sociedade*

1. Epicuro escreveu a um amigo: "Fico entusiasmado com o prazer que sinto quando me alimento de pão e água." Em outra carta, disse: "Mande um pouco de queijo curado, para que eu possa ter um banquete quando eu quiser." Ver BAILEY, Cyril. *Epicurus: The Extant Remains.* Oxford: Clarendon Press, 1926, p. 131.

2. A diferença gritante entre a visão estoica de racionalidade da natureza e um mundo aleatório de átomos em colisão é muito bem resumida em uma expressão que Marco Aurélio usava para descrever a separação entre estoicos e epicuristas: "providência ou átomos".
3. Essa fala de Epicuro, *lathe biosis* ou "viva anônimo", ficou bastante conhecida no mundo antigo. Veja, por exemplo, o estudo de Plutarco "Is 'Live Unknown' a Wise Precept?", em Plutarco, *Moralia*, vol. 14. Cambridge, MA: Harvard University Press, 1967, p. 318-343.
4. Epicteto, *Diatribes* 3.7.19.
5. Sêneca, *Sobre a tranquilidade da alma* 6.2.
6. O autor romano Cícero apresenta as ideias de Panécio nos dois primeiros livros de sua obra *Dos deveres*, importante texto sobre ética estoica. A descrição das quatro *personae* aparece em *Dos deveres* 1.107-115. Na discussão que apresento aqui, me baseio tanto nas ideias de Panécio como de Sêneca, já que Sêneca expressou pensamentos idênticos em seus escritos.
7. Sêneca, *Cartas* 11.6.
8. Um dos testes psicológicos mais exatos distingue os "cinco grandes traços de personalidade". Eles são identificados como: abertura para a experiência, conscienciosidade, extroversão, amabilidade e neuroticismo (e seus respectivos opostos). O interessante é que, quando as pessoas fazem o teste, é possível prever, com elevado grau de exatidão, onde elas se encaixam no espectro político. Isso sugere que muitas pessoas se identificam com orientações políticas a partir de seus traços de personalidade, e não por um processo de pensamento crítico.
9. Sêneca, *Sobre a tranquilidade da alma* 6.2.
10. Cícero, *Dos deveres* 1.110-111, apresentando o pensamento de Panécio.
11. Sêneca, *Cartas* 20.2.
12. Sêneca, *Cartas* 37.5.
13. Sêneca, *Cartas* 120.21–22.
14. Sêneca, *Cartas* 47.21.
15. Sêneca, *Cartas* 20.3.
16. Sêneca, *Sobre a tranquilidade da alma* 17.1 e 17.2.
17. Sêneca, *Cartas* 16.3.
18. Sêneca, *Cartas* 75.4.

19. Sêneca, *Cartas* 64.7 e 64.9.
20. Sêneca, *Questões naturais* 7.25.4.
21. Sêneca, *Cartas* 79.5.
22. Para algumas críticas aos argumentos de Zenão, veja Sêneca, *Cartas* 82.9 e 83.9. Em *On Benefits* 1.4.1, Sêneca descreve a perspicácia de Crisipo como sendo tão afiada que, em vez de convencer, apenas proporciona "agulhadas".
23. Sêneca, *Cartas* 80.1.
24. Sêneca, *Cartas* 33.11.
25. Sêneca, *Cartas* 81.1–2.
26. KER, James. *Introduction to On the Constancy of the Wise Person. In* Sêneca, *Hardship and Happiness*. Chicago: University of Chicago Press, 2010, p. 143.
27. Sêneca, *Sobre a firmeza do homem sábio* 9.4-5 e Epicteto, *Diatribes* 3.25.4.
28. Veja Sêneca, *Sobre o ócio* 2.1. Como afirmou Diógenes Laércio: "Os estoicos dizem que o sábio participará da política se nada o impedir [...] já que, ao fazer isso, limitará o vício e promoverá a virtude"(*Vidas e doutrinas dos filósofos ilustres* 7.121). Para um estudo acadêmico aprofundado das visões de Sêneca sobre o serviço público e o ócio, veja o capítulo "The Philosopher on Political Participation", em GRIFFIN, Mariam T. *Seneca: A Philosopher in Politics*. Nova York: Oxford University Press, 1976.
29. Sêneca, *Sobre o ócio* 6.4-5.
30. Sêneca, *Sobre o ócio* 3.5.
31. Sêneca, *Sobre o ócio* 8.1.
32. Sêneca, *Sobre o ócio* 6.4.
33. Sêneca, *Cartas* 8.2-3.
34. Sêneca, *Cartas* 21.5.
35. Sêneca, *Cartas* 79.17.

CAPÍTULO 11 *Viver plenamente apesar da morte*

1. Sêneca, *Cartas* 12.1.
2. William B. Irvine, um dos primeiros filósofos a testar o estoicismo como

modo de viver contemporâneo, observou que o objetivo principal de "uma filosofia de vida" é garantir que você tenha uma vida boa e não "viva de forma enganadora". Um sinal de que você teve uma vida boa é, quando chegar aos últimos momentos, não se arrepender por tê-la desperdiçado. Ver IRVINE, William B. *A Guide to the Good Life: The Ancient Art of Stoic Joy*. Nova York: Oxford University Press, 2009, p. 1-2.

3. Sêneca, *Cartas* 78.2.
4. Platão, *Apologia* 30C–D.
5. Sobre o julgamento e a morte de Sócrates, veja os diálogos de Platão, a *Apologia* (em que Sócrates se defende durante o julgamento), *Críton* (em que ele explica por que não quer deixar a prisão) e *Fédon* (em que Sócrates bebe a cicuta cercado por alunos). Esses diálogos podem ser encontrados em: PLATÃO. *The Last Days of Socrates*. Tradução para o inglês de Hugh Tredennick e Harold Tarrant. Nova York: Penguin, 1993.
6. Sêneca, *Cartas* 63.8.
7. Sêneca, *Cartas* 22.16.
8. Epicteto, *Diatribes* 3.26.38.
9. Sêneca, *Cartas* 4.5.
10. Sêneca, *Cartas* 26.6.
11. Sêneca, *Cartas* 30.10–11.
12. Sêneca, *Cartas* 24.18. Marco Aurélio também usa esse argumento em *Meditações* 8.58. Na verdade, ele remonta a Sócrates, que o usou em seu julgamento. Veja Platão, *Apologia* 40C-D.
13. Sêneca, *Cartas* 54.4-5.
14. Como Epicuro escreveu, a morte não é nada para nós, pois "enquanto existimos, a morte não chegou, e, quando a morte chega, nós não existimos" (Diógenes Laércio, *Vidas e doutrinas dos filósofos ilustres* 10.125).
15. Sêneca, *Cartas* 92.24-25.
16. Sêneca, *Cartas* 77.20.
17. Sêneca, *Cartas* 93.4.
18. Sêneca, *Cartas* 12.4-5.
19. Sêneca, *Cartas* 101.13-14.
20. Sêneca, *Cartas* 101.15.
21. Sêneca, *Cartas* 58.34.

22. Sêneca, *Cartas* 58.32.
23. Sêneca, *Cartas* 58.35.
24. Texto do discurso de Steve Jobs como paraninfo na Universidade de Stanford, em 12 de junho de 2005. Disponível em: news.stanford.edu/2005/06/14/jobs-061505.
25. Sêneca, *Cartas* 101.7.
26. Sêneca, *Cartas* 12.9.

CAPÍTULO 12 *Dê ao luto seu devido valor*

1. Sêneca, *Consolação a Políbio* 18.5. Sobre a crença dos filósofos gregos de que o sábio não sofria: Diógenes Laércio, *Vidas e doutrinas dos filósofos ilustres* 7.118.
2. Sêneca, *Cartas* 71.27.
3. Em *Consolação a Márcia*, provavelmente escrita durante o império de Calígula (37-41), Sêneca aborda o grave estado de luto de Márcia, que durou três anos após a morte de seu filho Metílio. *Consolação à minha mãe Hélvia* foi escrita para a mãe de Sêneca e fala sobre o sofrimento dela pelo exílio do filho na ilha da Córsega no ano de 41. *Consolação a Políbio* fala do luto de Políbio pela morte do irmão e foi escrita quando Sêneca estava exilado (entre 41 e 49). A Carta 63 de Sêneca foi escrita para consolar Lucílio pela morte de seu amigo Flaco. A Carta 99 para Lucílio inclui o texto da carta que Sêneca escreveu para Marulo, que havia perdido um filho ainda bebê. As *cartas* foram escritas entre os anos 63 e 65.
4. Sêneca, *Cartas* 99.18-19.
5. Sêneca, *Cartas* 99.19.
6. Sêneca, *Cartas* 99.18 e 99.20.
7. A oxitocina é um hormônio associado à formação de vínculo, ao amor, ao sexo e à redução do estresse. As endorfinas são opioides associados à redução da dor e do estresse e à sensação de euforia. Não é de admirar que as pessoas muitas vezes se sintam melhores e mais calmas depois de chorar.
8. Sêneca, *Consolação a Márcia* 1.5. O texto foi escrito durante o império de Calígula, o que provavelmente faz dele o texto mais antigo da obra de Sêneca a chegar até nós.

9. Sêneca, *Cartas* 99.16.
10. Para estes dois argumentos, veja Sêneca, *Consolação a Políbio* 18.6 e *Consolação à minha mãe Hélvia* 16.1.
11. Sêneca, *Consolação a Políbio* 18.6.
12. Sêneca, *Cartas* 63.12.
13 Sêneca, *Consolação a Políbio* 11.2.
14. Sêneca, *Consolação a Márcia* 9.5.
15. Sêneca, *Cartas* 63.14-15.
16. Sêneca, *Consolação a Márcia* 10.1.
17. Sêneca, *Consolação a Márcia* 10.3.
18. Epicteto, *Manual* 11.
19. Sêneca, *Consolação a Políbio* 11.3.
20. Seneca, *Sobre a tranquilidade da alma* 11.1.
21. Para uma visão semelhante de alguém que também tentou viver de acordo com a perspectiva estoica, veja LABARGE, Scott. "How (and Maybe Why) to Grieve Like an Ancient Philosopher". *In* KAMTEKAR, Rachana (Ed.). *Virtue and Happiness: Essays in Honour of Julia Annas*. Oxford: Oxford University Press, 2012, p. 320-342.
22. Sêneca, *Cartas* 99.4.
23. Sêneca, *Cartas* 99.4.
24. Sêneca, *Consolação a Márcia* 3.4.
25. Sêneca, *Consolação a Márcia* 5.4. O filho de Márcia, Metílio, tinha duas filhas, então não era uma criança quando morreu. Mas, como Sêneca demonstra, mesmo crianças muito jovens podem ser fonte de boas lembranças.

CAPÍTULO 13 *Amor e gratidão*

1. Sêneca, *Sobre a ira* 2.31.7.
2. MOTTO, Anna Lydia. "Seneca on Love". *Cuadernos de Filología Clásica – Estudios Latinos* 27, n. 1, 2007, p. 80.
3. Marco Aurélio, *Meditações* 6.39.

4. Marco Aurélio, *Meditações* 1.9.
5. STEPHENS, William O. *Stoic Ethics: Epictetus and Happiness as Freedom.* Nova York: Continuum, 2007, p. 154.
6. Cícero, *Pro Plancio* 80.
7. Sêneca, *Dos benefícios* 1.1.2.
8. HARPHAM, Edward J. "Gratitude in the History of Ideas". *In* EMMONS, Robert A.; MCCULLOUGH, Michael E. (Eds.). *The Psychology of Gratitude*. Nova York: Oxford University Press, 2004, p. 22.
9. Sêneca criticou muitas vezes esse sistema. Mas fazia parte dele: seu relacionamento com Nero poderia ser descrito como uma relação patrono-cliente.
10. RUSHDY, Ashraf H. A. *Philosophies of Gratitude.* Nova York: Oxford University Press, 2020, p. 46-47.
11. O único artigo acadêmico que consegui encontrar dedicado à gratidão no estoicismo é do meu amigo Aldo Dinucci, estudioso do estoicismo no Brasil. É sobre a gratidão em Epicteto e foi escrito em português. Veja RODRIGUES, Antônio Carlos; DINUCCI, Aldo. "A eucharistia em Epicteto". *In* COSTA, Celma Laurinda Freitas; ECCO, Clóvis; MARTINS FILHO, José Reinaldo F. *Epistemologias da religião e relações de religiosidade.* Curitiba: Prismas, 2017, p. 17-44.
12. ROBERTSON, Donald. "Stoicism and Love", apresentação na conferência Stoicism Today 2014. Vídeo disponível em: https://youtu.be/W4sawA20hdE.
13. Sobre a abordagem estoica ao amor pelos outros com consciência de sua mortalidade, veja STEPHENS, William O. "Epictetus on How the Stoic Sage Loves", *Oxford Studies in Ancient Philosophy* 14, 1996, p. 193-210.
14. Muitos filósofos modernos exploraram esse tópico. Estes são alguns textos que estudei enquanto escrevia este capítulo, listados por data de publicação. Sobre a gratidão de Epicuro à natureza, mas não aos deuses: DE WIT, N. W. "The Epicurean Doctrine of Gratitude". *American Journal of Philology* 58, n. 3, 1937, p. 320-328. Sobre como a experiência da "gratidão cósmica" ou "gratidão transpessoal" não exige a crença em Deus: NAKNIKIAN, George. "On the Cognitive Import of Certain Religious States". *In* HOOK, Sidney (Ed.). *Religious Experience and Truth: A Symposium.* Nova York: New York University Press, 1961, p. 156-164. Sobre gratidão

não pessoal, gratidão à natureza e "gratidão desapegada": LODER, E. R. "Gratitude and the Environment: Toward Individual and Collective Ecological Virtue". *Journal Jurisprudence*, 2011, p. 383-435. Sobre gratidão à natureza: WOOD, Nathan. "Gratitude and Alterity in Environmental Virtue Ethics". *Environmental Values* 29, n. 4, 2020, p. 481-498. Uma investigação recente sobre gratidão cósmica: Capítulo 8, "Cosmic Gratitude". *In* RUSHDY, Ashraf H. A. *Philosophies of Gratitude*. Nova York: Oxford University Press, 2020, p. 219-253.

15. Marco Aurélio, *Meditações* 7.27.
16. SOLOMON, Robert C. Prefácio. *In* EMMONS, Robert A.; MCCULLOUGH, Michael E. (Eds.). *The Psychology of Gratitude*. Nova York: Oxford University Press, 2004, p. v.
17. WATKINS, Philip C. *Gratitude and the Good Life: Toward a Psychology of Appreciation*. Dordrecht: Springer, 2014, p. 3.
18. WATKINS, *Gratitude and the Good Life*, p. 5.
19. WATKINS, *Gratitude and the Good Life*, p. 7.
20. WATKINS, *Gratitude and the Good Life*, p. 8.
21. EMMONS, Robert A. "The Psychology of Gratitude: An Introduction". *In* EMMONS, Robert A.; MCCULLOUGH, Michael E. (Eds.). *The Psychology of Gratitude*. Nova York: Oxford University Press, 2004, p. 5.
22. Para uma lista de panteístas famosos, veja https://en.wikipedia.org/wiki/List_of_pantheists. O filósofo Michael Levine acredita que "existem provavelmente mais panteístas (autênticos) do que protestantes ou teístas em geral, e o panteísmo continua sendo a alternativa religiosa tradicional para quem rejeita a noção teísta clássica de Deus" (1994, p. 14).
23. O cientista e autor Dorion Sagan, filho de Carl Sagan, escreveu: "Meu pai acreditava no Deus de Spinoza e Einstein, não um Deus que está por trás da natureza, mas Deus como natureza, equivalente a ela" (MARGULIS; SAGAN, 2007, p. 14).
24. Veja a discussão em FIDELER, David. *Restoring the Soul of the World: Our Living Bond with Nature's Intelligence*. Rochester, VT: Inner Traditions, 2014, p. 32.
25. Para o uso de "Natureza" com o significado de Deus, veja Sêneca, *Dos benefícios* 4.7.1-2 e 4.8.3, além de *Questões naturais* 2.45.3.
26. Essas palavras aparecem no início dos discursos de Rumi (1994, p. 1).

27. Sêneca, *Dos benefícios* 4.25.2. Da mesma forma, quando Marco Aurélio se referia aos deuses como sendo "visíveis", ele estava se referindo aos corpos celestes (*Meditações* 12.28).
28. Para alguns exemplos, veja DOMARADZKI, Mikolaj. "Theological Etymologizing in the Early Stoa", *Kernos* 25, 2012, p. 125-148. Disponível em: https://journals.openedition.org/kernos/2109.
29. Como o filósofo Michael P. Levine ressalta, o panteísmo não é nem uma forma de teísmo nem de ateísmo. É, sim, uma alternativa a ambos. Embora o panteísmo não afirme a existência de um Deus pessoal, ele sugere que existe uma força unificadora na natureza: tudo que existe constitui uma "unidade", e essa unidade, que tudo inclui, é, em certo sentido, divina. Veja Levine, *Pantheism*, p. 25.
30. Sêneca, *Dos benefícios* 4.7.1.
31. Sêneca, *Dos benefícios* 2.29.5.
32. NIETZSCHE, Friedrich. *Ecce Homo: Nietzsche's Autobiography*. Tradução de Anthony M. Ludovici. Nova York: Macmillan, 1911, p. 7 [adaptado].
33. Richard Dawkins, em palestra durante o Intelligence Squared Debate: "Atheism Is the New Fundamentalism", nov. 2019. Um vídeo com a observação de Dawkins pode ser visto em https://youtu.be/lheDgyaltOA, 1:44.
34. SOLOMON, Robert C. Prefácio. *In* EMMONS, Robert A., MCCULLOUGH, Michael E. (Eds.). *The Psychology of Gratitude*. Nova York: Oxford University Press, 2004, p. ix (grifo nosso).
35. SOLOMON, Prefácio em *The Psychology of Gratitude*, p. x.
36. Epicteto, *Diatribes* 3.5.11. A metáfora da vida como um festival, pelo qual devemos ser gratos quando estivermos de partida, aparece várias vezes nos discursos de Epicteto. Veja também *Diatribes* 3.5.10-11 e 4.1.105-106.
37. Marco Aurélio, *Meditações* 4.48.

CAPÍTULO 14 *Liberdade, tranquilidade e alegria duradoura*

1. STEPHENS, William O. *Stoic Ethics: Epictetus and Happiness as Freedom*. Nova York: Continuum, 2007, p. 154.
2. Como explicou Epicteto: "Se a virtude oferece essa promessa – de gerar felicidade, libertação do sofrimento e serenidade –, então progredir no

sentido da virtude também é, seguramente, progredir no sentido desses estados mentais" (*Diatribes* 1.4.3).

3. Sêneca, *Cartas* 17.7.
4. Resumo de um breve diálogo de Epicteto, *Diatribes* 4.1.52.
5. Sêneca, *Cartas* 75.18.
6. Sêneca, *Cartas* 15.9.
7. Sêneca, *Cartas* 42.8.
8. Sêneca, *Cartas* 45.9.
9. Sêneca, *Cartas* 23.2.
10. Sêneca, *Cartas* 32.3 e 32.5. "Uma vida que já está completa" é uma frase memorável da tradução de Margaret Graver e A. A. Long para o inglês. Minha tradução da mesma passagem: "A fim de superar todas as limitações, a fim de ser libertado e verdadeiramente livre, deve-se viver uma vida completa" (*Cartas* 32.5).
11. Sêneca, *Cartas* 44.7.
12. STEPHENS, *Stoic Ethics*, p. 141.
13. Sêneca, *Cartas* 56.6.
14. Sêneca, *Cartas* 59.16.
15. Sêneca, *Cartas* 87.3.
16. Sêneca, *A vida feliz* 3.4.
17. Sêneca, *Cartas* 92.17.

BIBLIOGRAFIA

DEPENDENDO DA PREFERÊNCIA DO EDITOR, O NOME DE SÊNECA PODE aparecer como "Sêneca", "Lúcio Aneu Sêneca" ou "Sêneca, o Jovem". Ao listar abaixo as obras publicadas de Sêneca, as várias formas de seu nome não foram organizadas em ordem alfabética, pois todas se referem à mesma pessoa. Em vez disso, os títulos é que estão organizados em ordem alfabética.

ARISTÓTELES. *Nicomachean Ethics*. Tradução de Terence Irwin. 2. ed. Indianápolis: Hackett, 1999. (*Ética a Nicômaco*. Tradução do grego, introdução e notas de Mário da Gama Kury. Brasília: Ed. UnB, 2001.)

____________. *Politics*. Tradução de Ernest Barker. Oxford: Oxford University Press, 1995. (*A política*. Introdução de Ivan Lins; tradução de Nestor Silveira Chaves. Rio de Janeiro: Ediouro, 1995.)

ARMISEN-MARCHETTI, Mireille. "Imagination and Meditation in Seneca: The Example of the *Praemeditatio*". *In* FITCH, John G. (Ed.). *Oxford Readings in Classical Studies: Seneca*. Oxford: Oxford University Press, 2008.

ARIUS DIDYMUS. *Epitome of Stoic Ethics*. Tradução de Arthur J. Pomeroy. Atlanta: Society of Biblical Literature, 1999.

ASMIS, Elizabeth. "Cicero on Natural Law and the Laws of State". *Classical Antiquity* 27, n. 1, p. 1-33, 2008.

BAILEY, Cyril. Ver *Epicuro: The Extant Remains.*

BARTSH, Shadi; SCHIESSARO, Alessandro (Eds.). *The Cambridge Companion to Seneca*. Nova York: Cambridge University Press, 2015.

BECKER, Lawrence C. *A Modern Stoicism*. 2. ed. Princeton: Princeton University Press, 2017.

BOBZIEN, Susanne. *Determinism and Freedom in Stoic Philosophy*. Oxford: Oxford University Press, 2001.

BRENNAN, Tad. *The Stoic Life: Emotions, Duties, and Fate*. Oxford: Oxford University Press, 2005. (*A vida estoica: emoções, obrigações e destino*. Tradução de Marcelo Consentino. São Paulo: Loyola, 2010.)

BRIDGES, J. W. "Imitation, Suggestion, and Hypnosis". *In* BRIDGES, J. W. *Psychology: Normal and Abnormal, with Special Reference to the Needs of Medical Students and Practitioners*. Nova York: Appleton, 1930, p. 311-324. Disponível em: https://psycnet.apa.org/record/2008–08475–018.

BROWER, René. *The Stoic Sage: The Early Stoics on Wisdom, Sagehood and Socrates*. Cambridge: Cambridge University Press, 2014.

BUZARÉ, Elen. *Stoic Spiritual Exercises*. Raleigh: Lulu, 2011.

CÍCERO. *On Duties* (*De Officiis*). Tradução de Walter Miller. Loeb Classical Library. Cambridge, MA: Harvard University Press, 1913. (*Dos deveres* [*De Officiis*]. Tradução de Angélica Chiapeta. São Paulo: Martins Fontes, 1999.)

____________. *On Ends* (*De Finibus*). Tradução de H. Rackam. Loeb Classical Library. Cambridge, MA: Harvard University Press, 1914. (____________. *Do sumo bem e do sumo mal* [*De finibus bonorum et malorum*]. Tradução de Carlos Ancêde Nougué. São Paulo: Martins Fontes, 2005.)

____________. *On the Republic* (*De Re Publica*) and *On the Laws* (*De Legibus*). Tradução de Clinton Walker Keyes. Loeb Classical Library. Cambridge: Harvard University Press, 1928. (*Da república* [*De Re Publica*]. Tradução de Amador Cisneiros. São Paulo: Edipro, 2021; e *Tratado das leis* [*De Legibus*]. Introdução, tradução e notas de Marino Kury. Caxias do Sul: EdUCS, 2004.)

_____________. *The Republic* and *The Laws*. Tradução de Niall Rudd. Oxford: Oxford University Press, 1998.

_____________. *Pro Archia. Post Reditum in Senatu. Post Reditum ad Quirites. De Domo Sua. De Haruspicum Responsis. Pro Plancio*. Tradução de N. H. Watts. Loeb Classical Library. Cambridge: Harvard University Press, 1923.

_____________. *Tusculan Disputations*. Tradução de J. E. King. 2. ed. Loeb Classical Library. Cambridge: Harvard University Press, 1945.

COOPER, John M. "Aristotle on the Forms of Friendship". *The Review of Metaphysics* 30, n. 4, p. 619-648, 1977.

DAMSCHEN, Gregor; HEIL, Andreas (Eds.). *Brill's Companion to Seneca: Philosopher and Dramatist*. Leiden: E. J. Brill, 2014.

DE WIT, N. W. "The Epicurean Doctrine of Gratitude". *American Journal of Philology* 58, n. 3, p. 320-328, 1937.

DIÓGENES LAÉRCIO. *Lives of the Eminent Philosophers*. Tradução de R. D. Hicks. 2 vols. Loeb Classical Library. Cambridge: Harvard University Press, 1925.

_____________. *Lives of the Eminent Philosophers*. Tradução de Pamela Mensch. Nova York: Oxford University Press, 2018. (*Vidas e doutrinas dos filósofos ilustres*. Tradução do grego, introdução e notas de Mário da Gama Kury. Brasília: Ed. UnB, 1988.)

DOMARADZKI, Mikolaj. "Theological Etymologizing in the Early Stoa". *Kernos* 25, p. 125-148, 2012. Disponível em: https://journals.openedition.org/kernos/2109.

EDWARDS, Catharine. "Free Yourself! Slavery, Freedom, and the Self in Seneca's Letters". *In* BARTSCH, Shadi; WRAY, David (Eds.). *Seneca and the Self*. Cambridge: Cambridge University Press, 2009, p. 139-159.

_____________. "Absent Presence in Seneca's Epistles: Philosophy and Friendship". *In* BARTSH, Shadi; SCHIESSARO, Alessandro (Eds.). *The Cambridge Companion to Seneca*. Nova York: Cambridge University Press, 2015, p. 41-53.

EINSTEIN, Albert. "Religion and Science". *In* EINSTEIN, Albert. *Ideas and Opinions*. New York: Modern Library, 1994, p. 39-43 [publicado originalmente na *New York Times Magazine*, em 9 de novembro de 1930].

____________. "Science and Religion". Discurso no Princeton Theological Seminary, em 19 de maio de 1939. *In* EINSTEIN, Albert. *Ideas and Opinions*. Nova York: Modern Library, 1994, p. 44-52.

EMMONS, Robert A.; McCULLOUGH, Michael E. (Eds.). *The Psychology of Gratitude*. Nova York: Oxford University Press, 2004.

EPICTETO. *Discourses, Fragments, and Encheiridion*. Tradução de W. A. Oldfather. 2 vols. Loeb Classical Library. Cambridge: Harvard University Press, 1925-1928.

____________. *Discourses, Fragments, Handbook*. Tradução de Robin Hard. Oxford: Oxford University Press, 2014. (*Diatribes*, livro 1. São Cristóvão (Sergipe): Imprensa de Coimbra, 2022. A obra está disponível em pdf oficial gratuito aqui: https://digitalis-dsp.uc.pt/handle/10316.2/47835)

____________. *How to Be Free: An Ancient Guide to the Stoic Life. Encheiridion and Selections from Discourses*. Tradução e introdução de A. A. Long. Princeton: Princeton University Press, 2018.

EPICURO. *The Extant Remains*. Edição e tradução de Cyril Bailey. Oxford: Clarendon Press, 1926.

FARNSWORTH, Ward. *The Practicing Stoic: A Philosophical User's Manual*. Boston: David R. Godine, 2018.

FIDELER, David. *Restoring the Soul of the World: Our Living Bond with Nature's Intelligence*. Rochester: Inner Traditions, 2014.

____________. *Seneca: A Reader's Guide*. Disponível em: www.stoicinsights.com/seneca-readers-guide.

GLEISER, Marcelo. "The Trouble with Tribalism". *Orbiter*, 18 jul. 2019. Disponível em: https://orbitermag.com/the-trouble-with-tribalism.

GLOYN, Liz. *The Ethics of the Family in Seneca*. Cambridge: Cambridge University Press, 2017.

GRAVER, Margaret R. *Stoicism and Emotion.* Chicago: University of Chicago Press, 2007.

____________. "Action and Emotion". *In* DAMSCHEN, Gregor; HEIL, Andreas (Eds.). *Brill's Companion to Seneca: Philosopher and Dramatist.* Leiden: E. J. Brill, 2014, p. 257-276.

GRIFFIN, Mariam T. *Seneca: A Philosopher in Politics.* Nova York: Oxford University Press, 1976.

HARPHAM, Edward J. "Gratitude in the History of Ideas". *In* EMMONS, Robert A.; McCULLOUGH, Michael E. (Eds.). *The Psychology of Gratitude.* Nova York: Oxford University Press, 2004, p. 19-36.

HILL, Lisa; NIDUMOLU, Prasanna. "The Influence of Classical Stoicism on John Locke's Theory of Self-Ownership". *History of the Human Sciences*, maio 2020, p. 1-22.

HOLIDAY, Ryan. *O obstáculo é o caminho: a arte de transformar provações em triunfo.* Tradução de Talita Rodrigues. Rio de Janeiro: Bicicleta Amarela, 2015.

HOLOWCHACK, M. Andrew. *The Stoics: A Guide for the Perplexed.* Nova York: Continuum, 2008.

HONORÉ, Tony. Ulpian: *Pioneer of Human Rights.* 2. ed. Oxford: Oxford University Press, 2002.

HOROWITZ, Maryanne Cline. "The Stoic Synthesis of Natural Law in Man: Four Themes". *Journal of the History of Ideas* 35, n. 1, p. 3-16, 1974.

INWOOD, Brad. *Reading Seneca: Stoic Philosophy at Rome.* Oxford: Clarendon Press, 2005.

IRVINE, William B. *On Desire: Why We Want What We Want.* Nova York: Oxford University Press, 2006.

____________. *A Guide to the Good Life: The Ancient Art of Stoic Joy.* Nova York: Oxford University Press, 2009.

____________. *The Stoic Challenge: A Philosopher's Guide to Becoming Tougher, Calmer, and More Resilient.* Nova York: W. W. Norton, 2019.

LABARGE, Scott. "How (and Maybe Why) to Grieve Like an Ancient Philosopher". *In* KAMTEKAR, Rachana (Ed.). *Virtue and Happiness: Essays in Honour of Julia Annas*. Oxford: Oxford University Press, 2012, p. 320-342.

LLANO ALONSO, Fernando H. "Cicero and Natural Law". *ARSP: Archi für Rechtsund Socialphilosophie/Archives for Philosophy of Law and Social Philosophy* 98, n. 2, p. 157-168, 2012.

LE BON, Gustave. *The Crowd: A Study of the Popular Mind*. Tradução em inglês do texto original em domínio público: *Psychologie des Foules* (1895). Disponível em: www.gutenberg.org/ebooks/445. (*Psicologia das multidões*. 2. ed. Tradução de Mariana Sérvulo da Cunha. São Paulo: WMF Martins Fontes, 2016.)

LEVINE, Michael P. *Pantheism: A Non-Theistic Concept of Deity*. Londres: Routledge, 1994.

LODER, E. R. "Gratitude and the Environment: Toward Individual and Collective Ecological Virtue". *Journal Jurisprudence*, 2011, p. 383-435.

LONG, A. A. *Epictetus: A Stoic and Socratic Guide to Life*. Oxford: Oxford University Press, 2002.

____________; SEDLEY, D. N. *Greek and Latin Texts with Notes and Bibliography*. Cambridge: Cambridge University Press, 1987. (The Hellenistic Philosophers, v. 2)

____________; SEDLEY, D. N. *Translations of the Principal Sources with Philosophical Commentary*. Volume 2: *Greek and Latin Texts with Notes and Bibliography*. Cambridge: Cambridge University Press, 1987. (The Hellenistic Philosophers, v. 1)

MARCO AURÉLIO. *Marcus Aurelius*. Edição e tradução de C. R. Haines. Loeb Classical Library. Cambridge: Harvard University Press, 1916.

____________. *Meditations*. Tradução de Gregory Hayes. Nova York: Modern Library, 2002. (*Meditações ou Pensamentos para mim mesmo*. Prefácio de Jorge Angel Livraga. Tradução, introdução e notas de José R. Seabra Filho. Belo Horizonte: Nova Acrópole, 2016.)

____________. *Meditations*. Tradução de Martin Hammond. Londres: Penguin, 2006.

____________. *Meditations: The Annotated Edition*. Tradução, introdução e edição de Robin Waterfield. Nova York: Basic Books, 2021.

MARGULIS, Lynn; SAGAN, Dorion. *Dazzle Gradually: Reflections on the Nature of Nature*. White River Junction: Chelsea Green, 2007.

MAY, Rollo. *The courage to Create*. Nova York: W. W. Norton, 1975. (*A coragem de criar*. Tradução de Aulyde Soares Rodrigues. Rio de Janeiro: Nova Fronteira, 1989.)

MCILWAN, Charles. *The Growth of Political Thought in the West: From the Greeks to the Middle Ages*. Nova York: Macmillan, 1932.

MEANY, Paul. "Why the Founders' Favorite Philosopher Was Cicero". *FEE*, 31 mai. 2018. Disponível em: https://fee.org/articles/why-the-founders-favo-rite-philosopher-was-cicero.

MITSIS, Phillip. "The Stoic Origin of Natural Rights". *In* IERODIAKONOU, Katerina (Ed.). *Topics in Stoic Philosophy*. Oxford: Clarendon Press, 1999, p. 153-177.

MOTTO, Anna Lydia. "Seneca on Trial: The Case of the Opulent Stoic". *The Classical Journal* 61, n. 6, p. 254-258, 1966.

____________. *Seneca Sourcebook: A Guide to the Thought of Lucius Annaeus Seneca*. Amsterdã: Adolf M. Hakkert, 1970. (Índice de todos os escritos filosóficos de Sêneca.)

____________. "Seneca on Love". *Cuadernos de Filología Clásica – Estudios Latinos* 27, n. 1, 2007, p. 79-86.

____________; CLARK, John R. "Seneca on Friendship". *Atena e Roma* 38, p. 91-96, 1993.

NAKNIKIAN, George. "On the Cognitive Import of Certain Religious States". *In* HOOK, Sidney (Ed.). *Religious Experience and Truth: A Symposium*. Nova York: New York University Press, 1961, p. 156-164.

NIETZSCHE, Friedrich. *Ecce Homo: Nietzsche's Autobiography*. Tradução de Anthony M. Ludovici. Nova York: Macmillan, 1911. (*Ecce homo: como alguém se torna o que é*. Tradução, notas e posfácio de Paulo César de Souza. São Paulo: Companhia das Letras, 2004.)

NUSSBAUM, Martha. *The Therapy of Desire: Theory and Practice in Hellenistic Ethics*. Princeton: Princeton University Press, 1994.

PIGLIUCCI, Massimo. *How to Be a Stoic: Using Ancient Philosophy to Live a Modern Life*. Nova York: Basic Books, 2017.

PLATÃO. *Euthyphro. Apology. Crito. Phaedo. Phaedrus*. Tradução de Harold North Fowler. Loeb Classical Library. Cambridge: Harvard University Press, 1914. (*Apologia*. Tradução Carlos Alberto Nunes. 3ª edição. Editora da UFPA, 2015.)

____________. *Diálogos socráticos III: Fedro; Eutífron; Apologia de Sócrates; Críton; Fédon*. Tradução, textos complementares e notas de Edson Bini. São Paulo: Edipro, 2015.

____________. *The Last Days of Socrates*. Tradução de Hugh Tredennick e Harold Tarrant. Nova York: Penguin, 1993.

____________. *Lysis. Symposium. Gorgias*. Tradução de W. R. M. Lamb. Loeb Classical Library. Cambridge: Harvard University Press, 1925.

____________. *Diálogos II: Górgias; Eutidemo; Hípias maior; Hípias menor*. Tradução, textos complementares e notas de Edson Bini. São Paulo: Edipro, 2016.

____________. *Diálogos IV: Parmênides; Político; Filebo; Lísis*. Tradução, textos complementares e notas de Edson Bini. São Paulo: Edipro, 2015.

____________. *O banquete*. Tradução, textos complementares e notas de Edson Bini. São Paulo: Edipro, 2017.

PLUTARCO. *Is "Live Unknown" a Wise Precept? In* PLUTARCO, *Moralia*, v. 14. Tradução de Benedict Einarson e Philip H. De Lacy. Loeb Classical Library. Cambridge: Harvard University Press, 1967.

RAMELLI, Ilaria. *Hierocles the Stoic: Elements of Ethics, Fragments, and Excerpts*. Atlanta: Society for Biblical Literature, 2009.

RANOCCHIA, Graziano. "The Stoic Concept of Proneness to Emotion and Vice". *Archiv für Geschichte der Philosophie* 94, n. 1, p. 74-92, 2012.

RICHTER, Daniel S. *Cosmopolis: Imagining Community in Late Classical Athens and the Early Roman Empire*. Nova York: Oxford University Press, 2011.

ROBERTSON, Donald. "The Stoic Influence on Modern Psychotherapy". *In* SELLARS, John (Ed.). *The Routledge Handbook of the Stoic Tradition*. Londres: Routledge, p. 374-388, 2017.

____________. *How to Think Like a Roman Emperor: The Stoic Philosophy of Marcus Aurelius*. Nova York: St. Martin's Press, 2019.

____________. *The Philosophy of Cognitive-Behavioural Therapy (CBT): Stoic Philosophy as Rational and Cognitive Psychotherapy*. 2. ed. Londres: Routledge, 2020.

RODRIGUES, Antônio Carlos; DINUCCI, Aldo. "A eucharistia em Epicteto". *In* COSTA, Celma Laurinda Freitas; ECCO, Clóvis; MARTINS FILHO, José Reinaldo F. (Eds.). *Epistemologias da religião e relações de religiosidade*. Curitiba: Prismas, 2017, p. 17-44.

ROMM, James. *Dying Every Day: Seneca at the Court of Nero*. Nova York: Knopf, 2014.

RUMI, Jalaluddin. *Signs of the Unseen: The Discourses of Jalaluddin Rumi*. Tradução de W. M. Thackston Jr. Boston: Shambhala, 1994.

RUSHDY, Ashraf H. A. *Philosophies of Gratitude*. Nova York: Oxford University Press, 2020.

SAMPSON, Tony D. *Virality: Contagion Theory in the Age of Networks*. Minneapolis: University of Minnesota Press, 2012.

SELLARS, John. *The Art of Living: The Stoics on the Nature and Function of Philosophy*. Londres: Bristol Classical Press, 2009.

____________. *Stoicism*. Londres: Routledge, 2014.

____________. "Stoicism and Emotions". *In* USSHER, Patrick (Ed.). *Stoicism Today: Selected Writings*, v.1. Scotts Valley: CreateSpace, 2016, p. 43-48.

____________. *Marcus Aurelius*. Londres: Routledge, 2021.

____________ (Ed.). *The Routledge Handbook of the Stoic Tradition*. Londres: Routledge, 2017.

SÊNECA, Lúcio Aneu. *Anger, Mercy, Revenge*. Tradução de Robert A. Kaster e Martha C. Nusbaum. Chicago: University of Chicago Press, 2010.

______________. *Dialogues and Essays*. Tradução de John Davie. Oxford: Oxford University Press, 2007.

______________. *Dialogues and Letters*. Tradução de C. D. N. Costa. Nova York: Penguin, 1997.

______________. *Epistles*. Tradução de Richard M. Gummere. 3 vols. Loeb Classical Library. Cambridge: Harvard University Press, 1917-1925.

______________. *Hardship and Happiness*. Tradução de Elaine Fantham, Harry M. Hine, James Ker e Gareth D. Williams. Chicago: University of Chicago Press, 2014.

______________. *Letters from a Stoic*. Tradução de Robin Campbell. Nova York: Penguin, 1969.

______________. *Letters on Ethics to Lucilius*. Tradução de Margaret Graver e A. A. Long. Chicago: University of Chicago Press, 2015.

______________. *Moral Essays*. Tradução de John W. Basore. 3 vols. Loeb Classical Library. Cambridge: Harvard University Press, 1928-1935.

______________. *Natural Questions*. Tradução de Harry M. Hine. Chicago: University of Chicago Press, 2010.

______________. *Natural Questions*. Tradução de Thomas H. Corcoran. 2 vols. Loeb Classical Library. Cambridge: Harvard University Press, 1971.

______________. *On Benefits*. Tradução de Miriam Griffin e Brad Inwood. Chicago: University of Chicago Press, 2011.

______________. *Selected Letters*. Tradução de Elaine Fantham. Oxford: Oxford University Press, 2010.

______________. *Selected Philosophical Letters*. Tradução e comentários de Brad Inwood. Oxford: Oxford University Press, 2007.

______________. *Edificar-se para a morte: das Cartas morais a Lucílio*. Seleção, introdução, tradução e notas de Renata Cazarini de Freitas. Petrópolis: Vozes, 2016.

______________. *Sobre a ira; Sobre a tranquilidade da alma: diálogos*. Tradução, introdução e notas de José Eduardo S. Lohner. São Paulo: Companhia das Letras, 2014.

____________. *Tratado sobre a clemência*. Introdução, tradução e notas de Ingeborg Braren. Petrópolis: Vozes, 2013.

____________. *Sobre a Providência Divina; Sobre a firmeza do homem sábio*. Tradução, introdução e notas de Ricardo da Cunha Lima. São Paulo: Nova Alexandria, 2000.

____________. *A vida feliz*. Tradução de João Carlos Cabral Mendonça. São Paulo: WMF Martins Fontes, 2009.

____________. *Sobre a tranquilidade da alma; Sobre o ócio*. Tradução, notas e apresentação de José Rodrigues Seabra Filho. São Paulo: Nova Alexandria, 1994.

____________. *Sobre a brevidade da vida. Sobre a firmeza do sábio*. Tradução e notas de José Eduardo S. Lohner. São Paulo: Companhia das Letras, 2017.

SHERMAN, Nancy. "Aristotle on Friendship and the Shared Life". *Philosophical and Phenomenological Research* 47, n. 4, p. 589-613, 1987.

SOLOMON, Robert C. Prefácio. *In* EMMONS, Robert A.; McCULLOUGH, Michael E. (Eds.). *The Psychology of Gratitude*. Nova York: Oxford University Press, 2004, p. v-xi.

STEPHENS, William O. "Epictetus on How the Stoic Sage Loves". *Oxford Studies in Ancient Philosophy* 14, 1996, p. 193-210.

____________. *Stoic Ethics: Epictetus and Happiness as Freedom*. Nova York: Continuum, 2007.

____________. *Marcus Aurelius: A Guide for the Perplexed*. Nova York: Continuum, 2012.

TÁCITO. *The Annals: The Reigns of Tiberius, Claudius, and Nero*. Tradução de J. C. Yardley. Oxford: Oxford University Press, 2008. (*Anais*. Tradução e prólogo Leopoldo Pereira. Rio de Janeiro: Ediouro, 1992.)

TIELEMAN, Teun. *Chrysippus' on Affections: Reconstruction and Interpretation*. Leiden: E. J. Brill, 2003.

WATKINS, Philip C. *Gratitude and the Good Life: Toward a Psychology of Appreciation*. Dordrecht: Springer, 2014.

WILSON, Emily. *The Greatest Empire: A Life of Seneca*. Nova York: Oxford University Press, 2014.

WOOD, Nathan. "Gratitude and Alterity in Environmental Virtue Ethics". *Environmental Values* 29, n. 4, 2020, p. 481-498.

CONHEÇA ALGUNS DESTAQUES DE NOSSO CATÁLOGO